D1240865

Le guide des papas débutants

Robert Richter
et Eberhard Schäfer

marabout family

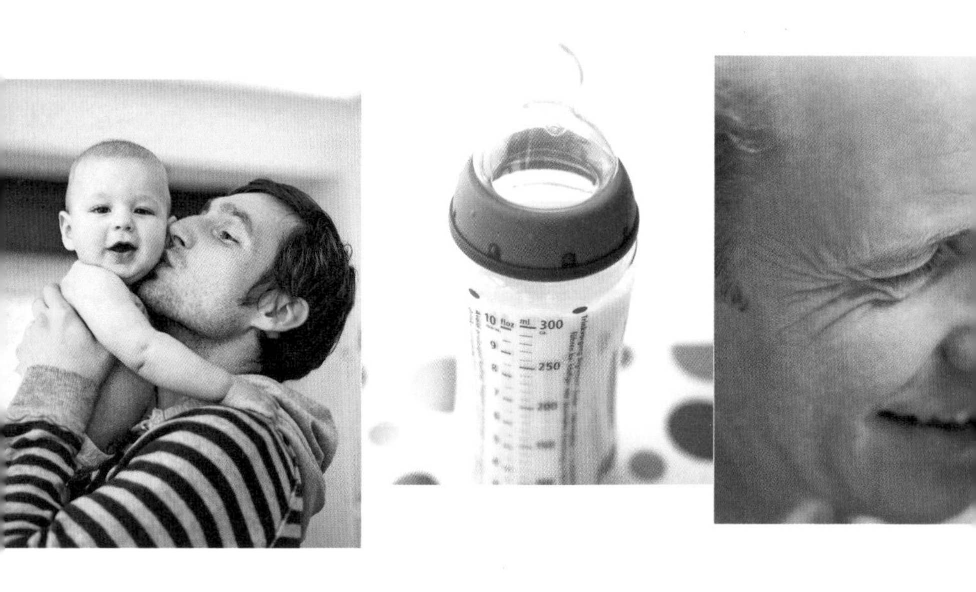

Ce livre a été publié pour la première fois en Allemagne en 2005
sous le titre *Das Papa-Handbuch*, par Gräfe and UnserVerlag GmbH

© Gräfe and UnserVerlag GmbH, 2005
© MARABOUT (Hachette Livre), 2012, pour la traduction et l'adaptation
Traduction Christine Chareyre

Photographies : © Getty images - Think Stock Photo - plainpicture/Fancy Images - Shutterstock

Toute reproduction d'un extrait quelconque de ce livre, par quelque procédé que ce soit, et notamment par photocopie ou microfilm, est interdite sans autorisation de l'éditeur.

Le guide des papas débutants

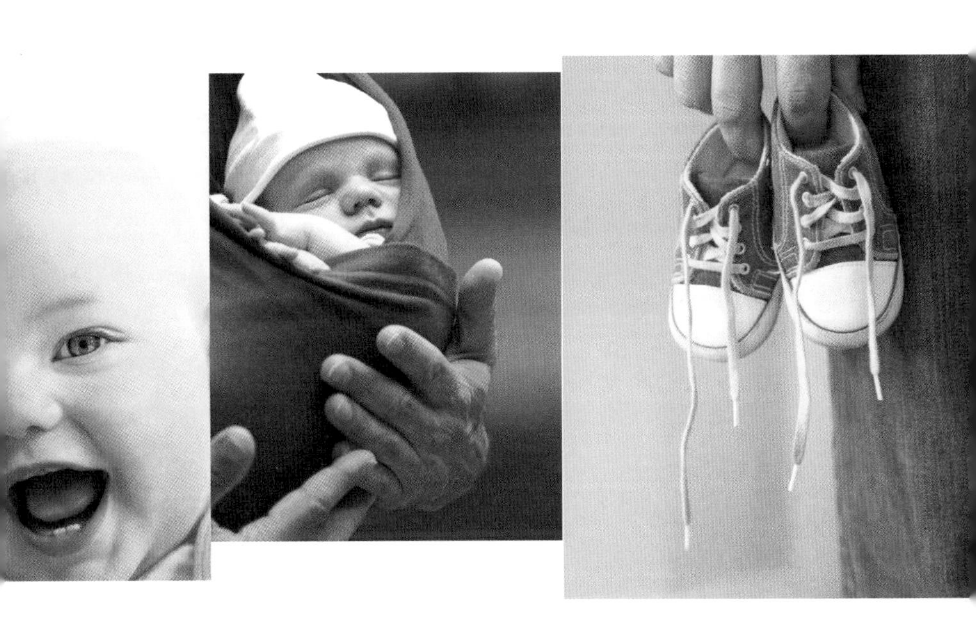

Robert Richter
et Eberhard Schäfer

marabout family

AVANT-PROPOS

Devenir père, quelle fabuleuse nouvelle ! Cette perspective vous remplit de joie, mais sans doute êtes-vous également assailli de questions et en proie à une multitude de doutes. Beaucoup de futurs papas ont envie de s'impliquer aux côtés de leur compagne dès le début de la grossesse, dans cette fascinante aventure. C'est en tout cas ce qui ressort des témoignages que nous recueillons auprès des hommes dans les cycles de préparation à l'accouchement et autres formations que nous animons.

Simple et précis, ce petit guide s'efforce de répondre à toutes vos questions concernant la grossesse, l'accouchement et les premiers mois avec votre enfant.

Grâce aux conseils et informations que vous y trouverez, nous espérons que vous pourrez vivre pleinement l'attente de sa naissance et son arrivée dans votre foyer, et que la paternité se révélera pour vous une expérience des plus enrichissantes.

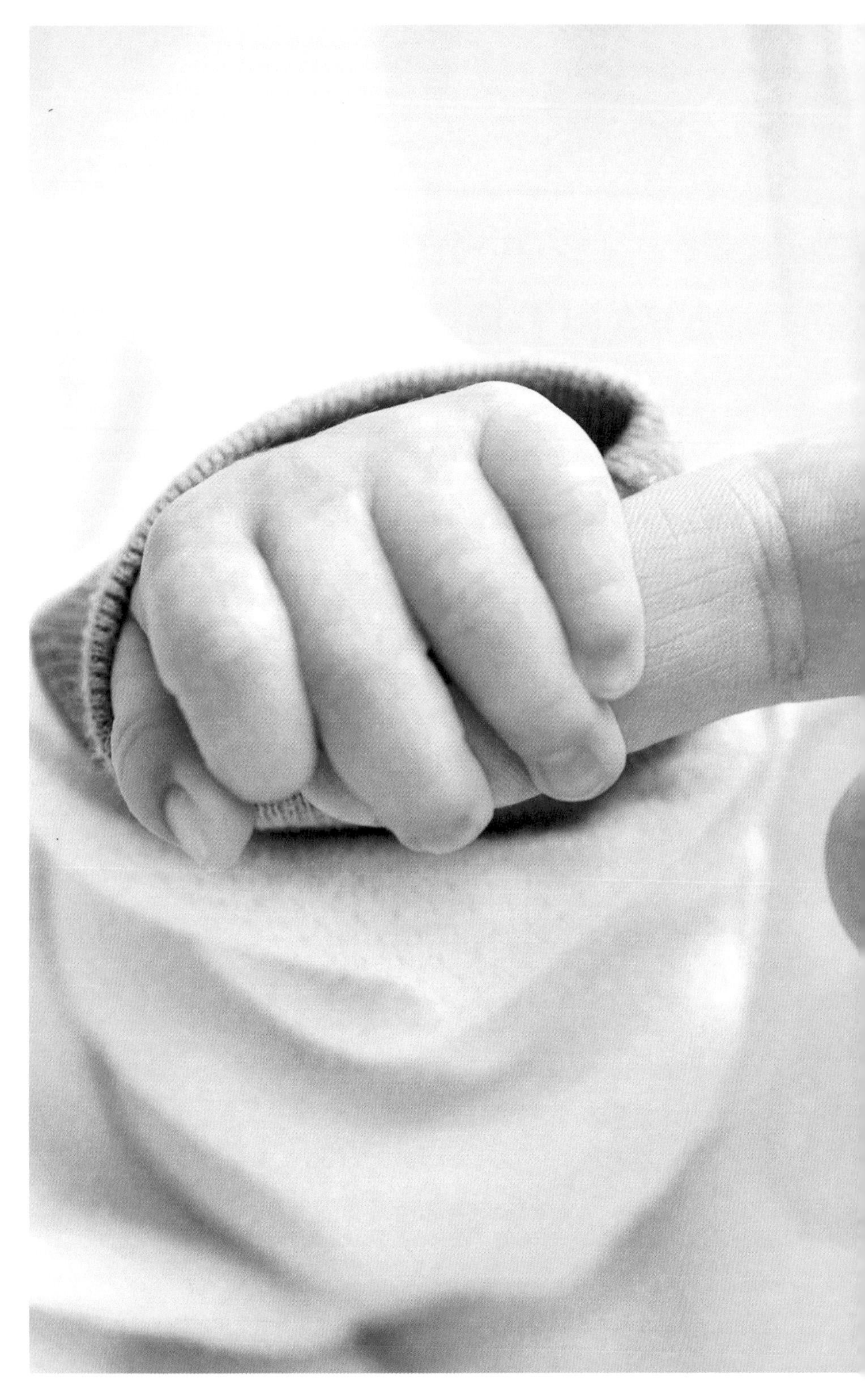

Devenir *père*

De même que le désir de paternité s'installe souvent progressivement, on ne devient pas père du jour au lendemain. Ce choix implique un nouvel engagement, de nouvelles responsabilités. Car un père fait bien davantage que donner la vie. Les neuf mois de la grossesse aident à construire ce lien nouveau qui fait d'un homme un père responsable et capable d'aider son enfant à grandir.

Neuf mois pour devenir un père responsable et capable d'aider son enfant à grandir.

Un père actif et responsable

La grossesse, la naissance et l'éducation des enfants revêtent de plus en plus d'importance aux yeux des pères, évolution on ne peut plus salutaire ! Les nouveaux pères prennent leur rôle très à cœur. Loin de se considérer comme de simples assistants, ils s'impliquent activement dans l'éducation de leurs enfants.

Père impliqué, enfant épanoui

Une présence affectueuse et attentionnée auprès de leurs enfants, un interlocuteur privilégié : c'est en ces termes que de plus en plus d'hommes conçoivent aujourd'hui la paternité. Ils souhaitent créer le plus tôt possible une relation intime avec leur enfant, et l'entretenir activement. Cet objectif, pas toujours facile à réaliser, est pourtant source de joies et de récompenses inestimables.

Beaucoup d'hommes ne considèrent plus que leur rôle de père se limite à subvenir aux besoins matériels de leur famille et à jouer le représentant incarné de l'autorité. Ils sont de plus en plus nombreux à vouloir consacrer du temps à leurs enfants. Leur carrière n'est plus leur priorité numéro un. La législation du travail a évolué en ce sens, comme en témoigne la possibilité pour les pères de prendre un congé parental (voir pages 70 et 114-115). Ils affirment aujourd'hui leur volonté de s'investir davantage dans la vie de leur famille, dès les premiers mois et dans tous les domaines...

Dorénavant, la multiplicité des tâches et la difficulté de concilier famille, activité professionnelle, vie de couple et loisirs ne sont plus des préoccupations exclusivement féminines. En dépit des pressions sociales, les hommes souhaitent eux aussi s'impliquer dans l'éducation de leurs enfants, être présents à leurs côtés, tant sur le plan affectif que pratique, participer davantage aux tâches domestiques... Dans cette approche, ils peuvent avoir besoin du soutien de leur compagne et de leurs proches (parents et amis). Un

Une nouvelle idée du père

Si l'image du père a longtemps été une figure d'autorité dans notre société, les choses ont évolué depuis une cinquantaine d'années. Depuis 1970, le père et la mère partagent juridiquement cette autorité. Mais ce n'est pas la loi qui seule a fait évoluer les choses : les mentalités ont changé, ainsi que les modèles familiaux. Aujourd'hui, de plus en plus de femmes veulent concilier la maternité et le travail.

Et de plus en plus d'hommes n'entendent pas n'être qu'une figure toute-puissante ou le grand absent du quotidien. Ils sont de plus en plus nombreux à s'impliquer auprès de leurs enfants dès la naissance et certains choisissent même de faire une pause dans leur carrière professionnelle pour prendre un congé parental d'éducation.

guide comme celui-ci peut aussi les aider à mieux cerner leurs questions et leur apporter des conseils simples et pratiques. Car il est important que les jeunes pères sachent combien leur implication ne peut être que bénéfique, pour eux-mêmes, pour leur partenaire et surtout pour leur(s) enfant(s).

À chacun sa place

À sa naissance, le tout-petit est dans une fusion complète avec sa mère. Ce lien prolonge en fait les neuf mois de la grossesse. Mais quand la relation devient trop fusionnelle, le père peut s'interposer pour permettre à l'enfant de grandir. C'est en cela qu'il est important que les rôles du père et de la mère ne se superposent pas. Pour qu'un enfant puisse devenir autonome, il est primordial qu'il n'y ait pas deux figures maternantes au détriment de la figure paternante. Toute la construction de la famille s'établit sur un juste équilibre des rôles.

Vive la différence!

Le désir de plus en plus manifeste des hommes de s'investir dans un domaine jusque-là considéré comme l'affaire des femmes engendre des difficultés bien compréhensibles, pour les uns comme pour les autres. Les hommes manquent souvent de confiance en eux, ne sachant pas toujours quelles tâches ils sont capables de prendre en charge. De leur côté, dans ce nouveau jeu de rôles, beaucoup de femmes manifestent des réticences ; elles ont du mal à renoncer aux soins du nourrisson et de l'enfant en bas âge. Il suffit qu'elles aient le plus petit doute sur les compétences de leur partenaire pour qu'elles s'empressent de décourager la moindre initiative de sa part.

Pour vivre pleinement leur paternité, les hommes ont besoin de prendre confiance en eux et de définir eux-mêmes la manière dont ils veulent tisser des liens avec leurs enfants. Dans l'éducation, les pères apportent autre chose que les mères : des traits de caractère, des compétences, des approches qui leur sont propres. Ni meilleurs ni moins bons que leurs compagnes, ils sont tout simplement différents. Et la complémentarité résultant de cette différence ne peut être que bénéfique pour les enfants.

Un sujet d'étude pour les chercheurs

Pendant longtemps, les pères n'ont guère été pris en compte dans les études sur la famille et la psychologie du développement de l'enfant. Leur rôle se limitait à celui de soutien de famille. La relation père-enfant n'était jamais évoquée et ne faisait l'objet d'aucune étude. C'est seulement depuis 25 ans environ que les chercheurs s'intéressent à la contribution des pères à la vie pratique et quotidienne de leur famille.

Les résultats de leurs études peuvent se résumer en quelques mots : les pères sont indispensables au développement des enfants. On ne peut donc qu'encourager ceux qui ont le souci de créer dès le plus jeune âge une relation affective étroite avec leurs enfants.

Lorsque le père et la mère s'occupent tous les deux de l'enfant au quotidien, celui-ci a affaire dès le départ à deux personnes différentes qui, chacune à sa manière, le prennent en charge et l'aident à grandir en lui imposant des

Un statut juridique pour le couple

La naissance d'un enfant peut inciter les couples en union libre à changer de statut et à opter soit pour le mariage, soit pour une déclaration de concubinage « notoire », soit pour un pacte civil de solidarité (PACS). Ces trois statuts établissent automatiquement le partage de l'autorité parentale entre le père et la mère; en cas d'union libre, le père et la mère doivent reconnaître (simultanément ou successivement) l'enfant avant qu'il ait un an pour que l'autorité parentale puisse être exercée conjointement.

Les enfants peuvent porter le nom du père ou de la mère, ou les deux, mais dans la limite d'un seul nom pour chacun. Attention, les enfants de même père et mère doivent porter les mêmes noms pour préserver l'unité de la fratrie.

limites. Les études montrent d'ailleurs clairement que l'influence du père sur l'enfant est plus grande lorsque la manière dont il dispense les soins et l'éducation se différencie de celle de la mère.

Pour les enfants, il est donc salutaire que le père et la mère aient des personnalités différentes et des approches autres sur l'éducation. Inutile pour les hommes de s'évertuer à endosser le rôle d'une mère modèle. Soyez fidèle à vous-même et à vos convictions, suivez votre intuition et ayez confiance en vous. L'expérience de ces dernières années montre que les pères s'occupent aussi bien que les mères de leurs enfants en bas âge.

Pères et mères à égalité

Ces dernières années, le rôle des pères et leur place dans la famille ont fait l'objet de plusieurs études qui ont mis en évidence cette vérité toute simple: les pères ne sont ni meilleurs ni moins bons que les mères. Les études ont aussi mis en valeur des situations concrètes qui confortent notre propos.

- Sur le plan émotionnel, les hommes sont autant touchés que les femmes par leur bébé. Le rythme cardiaque, la tension artérielle et les réactions cutanées, comme la transpiration, connaissent les mêmes fluctuations chez les pères et chez les mères à la vue du bébé qui pleure ou qui rit.

- Quand les pères donnent le biberon à leur bébé, ils sont généralement très attentionnés. Ils réagissent avec justesse à son besoin de faire une courte pause et apprécient de manière tout aussi intuitive le moment où il a suffisamment bu oucelui où il a besoin de faire son rot.

- Lorsque leur bébé pleure et semble mal à l'aise, les pères trouvent assez naturellement la conduite à tenir: le coucher à plat ventre sur son bras et le promener en lui parlant. Mais ils ont peut-être tendance à le faire plus facilement si la mère n'est pas tout à côté.

- Au cours de tests effectués les yeux bandés, des pères parvenaient à identifier leur bébé parmi d'autres en une minute, en touchant simplement ses mains. Cependant, les mères étaient deux fois plus nombreuses que les pères à reconnaître leur bébé en touchant son visage. Selon les chercheurs, cette différence tient au fait que les mères passent deux fois plus de temps que les pères avec leur bébé. Ainsi, plus vous pouvez consacrer de temps à votre enfant, mieux vous apprenez à le connaître, et plus la relation que vous tissez avec lui est profonde.

Un lien à développer

Certaines conditions favorisent le développement d'une relation privilégiée entre le père et l'enfant.

- Les pères qui se sont bien préparés à la naissance de leur enfant prennent davantage soin de lui que ceux qui ont vécu la grossesse et l'accouchement avec un certain détachement. Être partie prenante dans la naissance de son enfant est une expérience qui laisse une empreinte durable dans la vie de la famille. Elle instaure une relation étroite entre le père et l'enfant, mais elle rapproche aussi le père et la mère.
- Le père et la mère doivent s'aider mutuellement pour que chacun puisse consacrer du temps à l'enfant. Lorsque les parents se partagent les tâches équitablement, le père a davantage l'occasion de passer du temps seul avec son enfant.
- Dans le même ordre d'idée, si le partage des tâches est réussi, chacun des parents peut plus facilement consacrer à son enfant des moments qui ne sont pas parasités par des obligations matérielles. Il peut être important de se reposer sur l'autre d'une occupation domestique pour s'offrir un moment en tête à tête avec son tout-petit.
- Une vie de couple équilibrée induit une relation père-enfant satisfaisante.
- Dans les familles où les deux parents travaillent lorsque l'enfant est en bas âge, le père a une relation plus étroite avec lui que lorsque la mère n'exerce pas d'activité professionnelle.
- Les pères qui sont heureux dans leur vie de couple ont souvent une meilleure relation avec leurs enfants que ceux qui ne sont pas satisfaits de ce point de vue. Peut-être parce que, pour eux, la famille n'apparaît pas comme une charge ou un devoir mais comme un projet commun. Le lien avec l'enfant est moins marqué par l'obligation ou la crainte de l'avenir.

Le désir d'être parents

La maîtrise de la fécondation permet aujourd'hui aux couples de choisir le moment où ils vont devenir parents. La naissance d'un enfant est donc le plus souvent attendue et réfléchie. Mais même si elle est très désirée, elle peut provoquer des bouleversements psychiques importants. Choisir de devenir père ou mère témoigne d'une bonne estime de soi. Les futurs parents savent qu'ils acceptent une responsabilité importante, qui les comble tout autant qu'elle les inquiète. Cette ambivalence est tout à fait normale : il faut du temps pour atteindre la maturité qui permet d'assumer son statut de père et de mère.

Un bon départ dans la vie

Votre contribution au développement de votre enfant et la relation affective que vous tissez avec lui dès son plus jeune âge sont déterminants pour le reste de ses jours. L'implication du père a également des effets positifs sur la

Père et fils

Tous les psychologues s'accordent à reconnaître dans le père son rôle de séparation qui le conduit à détacher progressivement l'enfant de sa mère. Ce rôle est encore plus marqué quand l'enfant est un garçon: c'est en effet le père qui va l'aider à sortir des jupes de sa mère, le guider sur la voie de l'autonomie, le soutenir dans la construction de son identité masculine. Dans certaines sociétés traditionnelles, on trouve d'ailleurs des rites de passage pour mettre en œuvre la séparation de l'enfant mâle d'avec sa mère (et souvent, plus largement, avec les femmes de la tribu).

génération suivante. En vous investissant dans l'éducation de votre enfant, vous lui assurez un bon départ dans la vie, un équilibre et une stabilité dont il bénéficiera pendant le reste de son existence.

- Les pères ont souvent des jeux plus physiques avec leurs enfants que les mères. Ils les confrontent aux imprévus et à la nouveauté. Les enfants apprennent ainsi à se débrouiller dans des situations inhabituelles.

- Vers l'âge de 9 mois, les enfants de pères impliqués sont généralement plus éveillés que les autres.

- Vers l'âge de 5 ans, les enfants qui entretiennent une relation de confiance avec leur père sont plus autonomes, plus débrouillards et moins anxieux que les autres.

- Quand leur père se préoccupe de leur scolarité, les enfants ont souvent une attitude plus positive par rapport à l'école.

- Une complicité père-enfant est riche de promesses pour l'avenir: les enfants se sentent sans doute plus sûrs d'eux, ce qui les rend plus sociables et davantage tournés vers les autres. Ainsi, les garçons qui jouent beaucoup avec leur père, et dont le père s'implique activement dans l'éducation, sont généralement très appréciés de leurs camarades lorsqu'ils grandissent. Les fils de pères autoritaires le sont beaucoup moins. De même, les enfants qui entretiennent une relation confiante avec leur père sont plutôt moins enclins à consommer drogues ou alcool à l'adolescence.

En résumé, les enfants qui grandissent avec un père impliqué dans leur éducation sont généralement plus heureux pendant le reste de leur existence que ceux qui n'ont qu'une relation distante avec lui.

L'éveil du sentiment de paternité

Pendant les mois qui précèdent la naissance, votre sentiment de paternité s'éveille progressivement à la faveur des événements : consultations prénatales, séances de préparation à l'accouchement, aménagement de votre intérieur. Mais vous devez aussi vous préparer à votre nouveau rôle.

Inscrivez-vous dans une histoire familiale

En vous préparant mentalement à la naissance de votre enfant et à votre nouvelle identité, peut-être vous est-il déjà arrivé de penser à votre propre père. Vous participez désormais à la chaîne des générations. Vous n'êtes plus seulement un fils, mais bientôt le père d'un enfant et, de plus, votre père va devenir grand-père par votre entremise. Voilà une bonne raison d'échanger avec votre propre père, surtout si vous vous êtes éloigné de lui.

Même si votre père n'a pas toujours été à la hauteur de vos attentes ou de vos espérances, de votre point de vue d'enfant, son expérience peut vous être utile. Vous pouvez vous en inspirer sans reproduire exactement ses schémas éducatifs.

Si vous éprouvez des difficultés à approfondir la relation avec votre père, ou même à renouer le contact, pensez à votre enfant : les jeunes enfants apprécient généralement la compagnie de leurs grands-parents. À l'inverse, les personnes âgées les plus aigries restent rarement insensibles à la vue d'un bébé ou d'un enfant en bas âge.

Incitez votre père à vous parler de son vécu avant et après votre naissance. Posez-lui des questions qui l'amèneront à exprimer les sentiments qui furent les siens pendant cette période de sa vie. Vous renouvellerez ainsi les sujets de conversation avec votre père. Ces remarques valent également pour votre mère et pour les parents de votre compagne.

Il se peut toutefois que vous puissiez difficilement envisager d'échanger à ce propos avec vos parents. Peut-être aussi ne sont-ils pas en mesure d'assumer le rôle de grands-parents, ou sont-ils déjà décédés. Essayez alors de penser à des personnes qui pourraient remplir ce rôle à leur place.

Regards sur le passé pour inventer l'avenir

Pour tenter de définir votre conception de la paternité, prenez le temps de regarder avec votre compagne des photos de votre enfance. Sélectionnez celles sur lesquelles vous êtes avec votre père à des âges différents et observez-les attentivement. Essayez ensuite de répondre à certaines questions qui pourront vous aider à mieux cerner votre propre projet de paternité :

- Quelle image aviez-vous alors de votre père à l'âge des photos ? De bons souvenirs ? Des souvenirs moins agréables ? Pensez à des traits de caractère de votre père qui vous paraissent positifs, d'autres négatifs.

- Imaginez que c'est vous le père figurant sur la photo. Comment souhaiteriez-vous être ? Que peut attendre votre enfant de vous ? Qu'êtes-vous prêt à lui transmettre ?
- Invitez votre compagne à se livrer au même exercice avec des photos la représentant avec sa mère.
- Qu'est-ce qui vous a paru positif dans vos enfances respectives ? Qu'est-ce qui n'a pas été satisfaisant pour vous ?
- Quelle est, dans ce contexte, votre conception de la paternité et de la maternité ?
- Regardez des photos vous représentant enfant avec votre mère, et pour votre compagne, avec son père. Posez-vous les mêmes questions que ci-dessus.
- Essayez de définir la conception que vous avez de la mère de vos enfants ; à l'inverse, demandez à votre compagne de quelle manière elle vous imagine en tant que père de ses enfants.

Vous parviendrez ainsi à éviter des malentendus qui peuvent être sources de conflits entre parents.

Conciliez travail et vie de famille

Depuis longtemps, les schémas traditionnels n'ont plus cours à cet égard. La difficulté de concilier travail et vie de famille n'est plus réservée aux femmes seules. Si les mères ne souhaitent généralement pas renoncer complètement à leur activité professionnelle pour élever leurs enfants, les pères sont de plus en plus nombreux à vouloir leur consacrer davantage de temps, et pas seulement pendant les week-ends.

Comme les mères, les pères ont le droit de prendre un congé parental d'éducation, total ou partiel, la seule condition étant de justifier d'une ancienneté minimale d'un an dans l'entreprise. Le congé, d'un an et renouvelable deux fois, prend fin au plus tard au troisième anniversaire de l'enfant, et il n'est pas rémunéré.

Trouvez votre propre voie !

Rien n'est plus naturel que la paternité. Mais les mentalités évoluent avec le temps, et dans nos sociétés modernes, les pères n'ont guère de modèles auxquels se référer pour assumer leur fonction. L'image traditionnelle du père unique soutien de famille, ne s'occupant ni des tâches domestiques ni des enfants, est de plus en plus obsolète. Les hommes d'aujourd'hui ne vivent plus leur paternité comme ceux des générations qui les ont précédés, et le parcours n'est pas toujours facile pour eux. Plus proches de leurs enfants, davantage impliqués dans leur éducation, ils endossent de nouveaux rôles pour lesquels ils n'ont pas de références précises. Mais c'est aussi ce qui rend l'expérience de la paternité si passionnante, si enrichissante. Car les pères doivent inventer de nouvelles manières de s'affirmer en tant que tels.

Neuf mois pour vous préparer

Pendant la grossesse de sa compagne, l'homme devient père dans son esprit, dans son imagination, mais il est aussi partagé entre des sentiments très contradictoires. Rien de plus normal. Voici quelques conseils pour vivre intensément ces moments privilégiés qui préludent à la naissance.

Un père en devenir

Sans doute savez-vous déjà depuis un certain temps que vous allez avoir un enfant. Toutefois, la nouvelle n'a pas une résonance affective immédiate chez tous les hommes. Selon les témoignages que nous recueillons, le sentiment de paternité naît à des moments très différents.

Certains hommes se sentent pères dès l'acte de procréation ou à la vue du test de grossesse. D'autres sont profondément touchés par les images que leur livre l'échographie. Pour beaucoup, les mouvements du bébé dans le ventre de la mère sont l'élément décisif qui déclenche leur sentiment de paternité. Et c'est généralement au plus tard à la naissance que ce sentiment s'impose: à la vue de l'enfant qui leur apparaît soudain en chair et en os, rares sont ceux qui restent insensibles.

Peut-être vous inquiétez-vous de ne rien ressentir au début, quand votre compagne est déjà tout entière tournée vers le petit être qui occupe son ventre. Mais peu importe le moment où se situe l'éveil du sentiment de paternité pendant la grossesse: prenez simplement le temps de communiquer par la pensée avec votre enfant. Dans les pages qui suivent, nous vous invitons à participer activement à la grossesse de votre compagne et à suivre le développement de votre bébé *in utero*, à vous préparer à sa naissance et à votre nouvelle identité de père.

Entre bonheur et inquiétude

La vie du couple connaît des changements constants pendant la grossesse. Le corps de votre compagne subit des transformations, son ventre s'arrondit de jour en jour. Vous aménagez votre maison ou votre appartement de manière à accueillir le bébé dans les meilleures conditions possibles, en prévoyant, le cas échéant, une chambre pour lui. Outre ces modifications extérieures, les quarante semaines qui précèdent la naissance sont également marquées par d'importantes fluctuations de vos états d'âme: vous êtes partagé entre le bonheur de l'attente et de profondes inquiétudes.

Une perspective exaltante...

Un enfant renforce la signification de la vie du couple, il contraint les deux partenaires à davantage d'engagement l'un vis-à-vis de l'autre, mais aussi du reste du monde. Il donne un autre sens à l'existence en vous responsabilisant davantage et vous offrant l'occasion de transmettre ce qui vous paraît cher ou important.

Même pour ceux chez lesquels ne s'impose pas la nécessité d'avoir des enfants, ils s'inscrivent tout naturellement dans le déroulement de l'existence. Dans certains cas aussi, la paternité n'a d'autre justification que de concrétiser le désir ardent de maternité chez la partenaire, ou de répondre aux attentes de l'environnement social. Mais quel que soit le motif à l'origine de la paternité, la plupart des hommes envisagent cette perspective avec bonheur et satisfaction.

...et parfois inquiétante

Il n'empêche que nombre de futurs pères sont assaillis de doutes et d'inquiétudes étroitement liés au changement d'identité qu'ils vivent: d'hommes ils deviennent pères... Rien n'est plus compréhensible que cette angoisse, car ils endossent ce nouveau statut pour le restant de leurs jours et ils craignent parfois de ne pas être à la hauteur de la situation. La lourde responsabilité dont ils se sentent tout à coup investis les confronte souvent à une multitude d'interrogations: « Est-ce le bon moment pour moi de devenir père ? » « Ne suis-je pas encore trop jeune ou déjà trop âgé ? » « Ma vie, ma liberté, seront-elles entravées par l'arrivée d'un enfant ? » « Le bébé sera-t-il en bonne santé à la naissance ? » « La grossesse et l'accouchement se passeront-ils bien pour ma compagne et mon enfant ? » « Puis-je/pouvons-nous envisager d'avoir des enfants matériellement, ainsi qu'en termes de disponibilité de temps ? » « Notre relation de couple, ma personnalité et celle de ma compagne, seront-elles affectées par l'arrivée du bébé ? » « Ma compagne va-t-elle changer physiquement ? » « Notre vie sexuelle sera-t-elle différente ? »

Si la perspective de la paternité s'accompagne généralement d'une grande joie, elle engendre aussi nombre d'interrogations et d'appréhensions. Pendant les mois qui précèdent la naissance, la

La couvade

Les angoisses des futurs pères sont parfois à l'origine de manifestations psychosomatiques que les psychologues regroupent sous le terme de « couvade »: nausées, prise de poids, sautes d'humeur, mal de dos ou de ventre, insomnies, migraines... Ces symptômes sont identiques à ceux qui affectent la femme enceinte.

Ainsi, la couvade peut être interprétée comme une manière pour l'homme d'accompagner la grossesse de sa compagne en l'imitant. Dans certains cas, elle peut traduire le désir d'attirer l'attention, l'homme se sentant exclu de l'aventure, tandis que l'entourage ne s'intéresse qu'à la future maman et au bébé à naître.

Dans certaines sociétés traditionnelles, la couvade a une fonction rituelle: l'homme s'alite, simulant les douleurs de l'accouchement, pendant que sa compagne met leur enfant au monde.

psychologie de l'homme est soumise à bien des fluctuations.

Privilégiez les échanges

Pendant cette période exceptionnelle qu'est la grossesse, rien n'est plus normal que de se sentir ballotté entre bonheur et angoisse, tant pour vous-même que pour votre compagne. Prenez le temps de discuter avec elle des changements qui peuvent intervenir dans votre vie de couple avec l'arrivée d'un enfant. Même si vous éprouvez des difficultés à partager vos inquiétudes avec elle, même si vous n'osez pas lui parler de certaines de vos angoisses (comment lui dire par exemple que vous avez peur qu'elle vous aime moins ?), il est préférable de les exprimer plutôt que de les garder pour vous. Dans bien des cas, la parole est libératrice.

Consultez les suggestions données à ce sujet à partir de la page 96. La naissance de votre enfant peut être un enrichissement autant pour vous personnellement que pour votre relation avec votre compagne.

Exprimer ses peurs

Voici quelques suggestions qui peuvent vous aider à dissiper vos inquiétudes :

- Partagez avec votre compagne vos états d'âme sur la paternité.
- Favorisez les échanges avec des hommes qui sont déjà pères. Qu'est-ce qui a changé pour eux, comment ont-ils géré le changement ?
- Vous pouvez aussi vous entretenir avec votre père sur la manière dont il a vécu votre naissance ; votre propre paternité peut améliorer considérablement la relation avec vos parents.

Les groupes de parole

Pendant la grossesse, pour exprimer vos joies, vos désirs, vos attentes et vos craintes, vous pouvez aussi dialoguer avec des personnes extérieures à votre couple, parler ouvertement de vos doutes et de vos inquiétudes avec un ami ou un proche sans importuner ou surcharger votre compagne.

Si vous préférez garder l'anonymat, il existe, notamment dans les grandes villes, des groupes de parole pour hommes, dans lesquels ils peuvent échanger sur la paternité. Les initiatives se multiplient tant en France qu'en Belgique et en Suisse. Ces groupes de parole sont souvent mis en place par les maternités, privées ou publiques. Renseignez-vous auprès de l'établissement que vous avez choisi avec votre épouse ou votre compagne pour son accouchement.

La grossesse mois par mois

Comment la rencontre d'un ovule et d'un spermatozoïde engendre-t-elle la formation d'un être humain ? C'est cette histoire fascinante que nous vous proposons de suivre avec nous mois après mois.

Le premier mois : vous êtes le géniteur !

Après la rencontre de l'ovule et du spermatozoïde, l'œuf fécondé se divise

L'échographie

Cet examen a essentiellement pour fonction de dépister d'éventuelles anomalies et de contrôler la croissance du bébé. Au cours d'une grossesse, il y a en général trois échographies.

- La première échographie, qui doit avoir lieu entre les 10e et 12e semaines de grossesse donne une image globale de l'embryon. Elle permet de dater la grossesse, de déterminer le nombre de fœtus et détecter d'éventuelles anomalies.
- La deuxième échographie est pratiquée entre les 20e et 22e semaines de grossesse, période où les organes peuvent être bien observés. Le spécialiste vérifie le développement du fœtus et passe en revue les différents organes afin de détecter une éventuelle malformation.
- La troisième échographie se déroule entre les 30e et 32e semaines de grossesse. Elle permet un nouveau contrôle de la croissance du bébé au moyen d'un examen morphologique très complet.

Ces trois échographies ne sont pas obligatoires mais elles sont vivement conseillées. Elles sont toutes remboursées par la Sécurité sociale.

à l'infini. Il se nide dans l'utérus en adhérant à la muqueuse. À cet endroit se forme le cordon ombilical, qui relie le placenta à l'embryon et apporte à ce dernier la nourriture et l'oxygène. Au niveau du placenta, le sang de l'embryon et celui de la mère se rencontrent, mais ne se mélangent pas. Lorsque l'œuf s'est implanté, les règles de votre compagne s'arrêtent: c'est généralement le premier signe indiquant le début de la grossesse.

Dès que vous apprenez la nouvelle, il vous appartient de décharger votre compagne de toutes les corvées physiques. Pendant les mois qui suivent, vous devrez porter les charges supérieures à cinq kilos, telles que les sacs à provisions ou les corbeilles à linge. Pendant les premières semaines de la grossesse, les efforts peuvent être à l'origine de fausses couches; pendant les derniers mois, ils peuvent provoquer une naissance prématurée. Veillez également à éviter les sources de stress à votre compagne, car l'embryon est très sensible à ses fluctuations d'humeur.

Le deuxième mois: l'embryon grandit rapidement

La division cellulaire et la croissance se poursuivent à une vitesse effrénée. L'embryon mesure environ 5 mm et il présente déjà certaines caractéristiques d'un être humain: la colonne vertébrale, le système nerveux et le cerveau sont à l'état d'ébauche, son cœur bat. Les bras, puis les jambes se forment. Les doigts et les orteils commencent à apparaître, tandis que les contours du visage se dessinent.

Le deuxième mois de la grossesse est aussi celui pendant lequel beaucoup de femmes ressentent des nausées. Elles sont déclenchées par la progestérone, l'hormone de la grossesse. Ces nausées disparaissent généralement vers la fin du troisième mois, mais certaines en souffrent plus longtemps. Les nausées sont les premières manifestations de la grossesse qui peuvent affecter la vie du couple. Tenez compte de ces désagréments et faites preuve de compréhension à l'égard de votre compagne.

Le troisième mois: un petit extra-terrestre

Votre enfant atteint désormais la taille d'une cerise, et il bouge! Tous les organes et les parties du corps essentiels à la vie sont formés. Le bébé a encore beaucoup de place dans la poche des eaux qui l'entoure et il remue librement, en état d'apesanteur, dans le liquide amniotique. L'échographie permet désormais de bien l'identifier.

Le quatrième mois: de l'embryon au fœtus

Pendant les trois premiers mois, votre enfant a porté le nom médical d'embryon. À la fin du troisième mois, il devient un fœtus. Il atteint désormais la taille d'une balle de tennis. L'échographie permet d'identifier les organes sexuels.

Vous pouvez chercher avec votre compagne un joli nom que vous réserverez à sa vie intra-utérine et que vous pourrez utiliser en pratiquant l'haptonomie.

Le Néerlandais Frans Veldman, l'inventeur de l'haptonomie, la définit comme la science de l'affectivité. Pour lui, l'épanouissement de l'être humain dépend de sa sécurisation affective. Parmi les nombreuses applications de l'haptonomie figure l'accompagnement pré- et postnatal de l'enfant par ses parents. Par le toucher affectif, qui peut se compléter d'une communication verbale, les parents entrent en contact avec le bébé pendant la grossesse. Celui-ci perçoit les appels de la main posée sur le ventre de la maman et il y répond. Il se crée ainsi une complicité entre le bébé et ses parents qui instaure un sentiment de sécurité et favorise le vécu de la naissance. La pratique, prolongée pendant la première année de l'enfant, aide à son épanouissement. Pour le père, le grand avantage de l'haptonomie est qu'elle lui permet de devenir acteur de la grossesse.

Les séances, qui ne sont jamais collectives, se déroulent dans l'intimité du couple, avec le thérapeute - médecin, sage-femme ou psychologue formé à la pratique. Elles peuvent débuter dès le quatrième mois de la grossesse.

Le cinquième mois: parlez avec votre enfant

Votre bébé commence à entendre. Il perçoit les voix, les sons et la musique venant de l'extérieur. Il est aussi très sensible aux atmosphères qui l'entourent et réagit aux états de stress de sa mère.

C'est le moment d'intégrer votre enfant dans la vie de votre couple en lui parlant. Même s'il ne comprend pas ce que vous lui dites, il entend votre voix et sait que vous êtes avec lui par la pensée. Ces prises de contact avec votre enfant favoriseront les échanges après la naissance.

Le sixième mois: premières galipettes

C'est à une véritable gymnastique que se livre maintenant votre bébé. Il fait de nombreuses galipettes, et étant donné sa taille, sa maman sent bien ses mouvements. Il alterne les phases de sommeil et de veille, mais elles ne sont pas synchronisées avec celles de sa mère. Celle-ci le berce lorsqu'elle est en mouvement. Lorsqu'elle se repose, il se met à bouger.

C'est l'occasion idéale pour vous de sentir votre enfant, en posant vos mains sur le ventre de votre compagne, et d'entrer en relation avec lui. Il présente désormais toutes les caractéristiques d'un être humain. Sa tête est recouverte d'un fin duvet et ses cils sont bien apparents. Il lui arrive aussi de sucer son pouce, de tousser et d'éternuer.

Le septième mois: un bébé toujours très actif

Votre enfant grandit rapidement, mais il a encore suffisamment de place pour remuer et faire des galipettes.

Jouez avec votre bébé avant la naissance

L'exercice proposé ci-après vous permettra, en touchant le ventre de votre compagne, d'entrer en relation avec votre bébé, de faire connaissance et de jouer avec lui. Il peut également être agréable pour votre compagne, notamment lorsqu'elle souffre du dos.

- Asseyez-vous sur le lit et adossez-vous confortablement. Invitez votre compagne à s'asseoir entre vos jambes, en étendant les siennes et en prenant appui contre vous. Posez vos mains chaudes à la base de son ventre. Imaginez votre enfant dans son ventre et communiquez avec lui par la pensée en lui transmettant toute votre affection.

- Soulevez délicatement avec vos mains le ventre de votre compagne en prenant conscience de son poids et de celui de l'enfant. Continuez tant que ce geste est agréable pour vous et pour votre compagne.

- Essayez ensuite de déterminer la position du bébé en appuyant légèrement avec la paume de vos mains. Sa tête se trouve-t-elle à droite ou à gauche, en haut ou en bas? Sentez-vous son dos ou ses jambes?

- Appuyez un peu plus fort d'un côté. Vous poussez légèrement votre enfant vers le milieu du corps de votre compagne. Après une dizaine de secondes, relâchez la pression et laissez évoluer le bébé librement, sans toutefois perdre le contact avec lui. Communiquez avec votre enfant (par la pensée ou en lui parlant), invitez-le à suivre votre main. Avec un peu d'attention et d'entraînement, vous remarquerez bientôt que votre enfant suit les mouvements de vos mains, qu'il joue avec vous.

- Laissez ensuite le ventre de votre compagne et l'enfant s'abaisser aussi délicatement que vous les avez soulevés, lentement et régulièrement.

Par moments, il donne des bourrades si fortes avec ses bras et ses jambes qu'on parvient à deviner leur forme. La grande activité à laquelle il se livre la nuit perturbe le sommeil de votre compagne, qui a besoin de se reposer pendant la journée.

Votre enfant grandit rapidement, prend beaucoup de poids, et le ventre de votre compagne s'arrondit de plus en plus.

Le huitième mois: son espace diminue

Votre enfant parvient désormais à différencier la lumière de l'obscurité. Il ouvre et ferme les yeux. En raison de sa taille, son espace vital diminue dans l'utérus. La plupart des bébés ont le postérieur placé à la hauteur des côtes de leur mère (la position la plus favorable pour l'accouchement, mais qui peut encore changer).

Les seins de votre compagne se préparent à l'allaitement. Ils grossissent, et les glandes mammaires produisent du colostrum.

Le neuxième mois: le grand jour approche

Pendant les dernières semaines de la grossesse, le bébé ne grandit plus, mais il continue à prendre du poids (environ 200 g par semaine). Il se constitue des réserves de graisse qui le protègent pendant et après l'accouchement, en attendant que sa mère produise suffisamment de lait. C'est ainsi que la Nature compense la perte de poids du bébé après la naissance.

Et c'est pendant les dernières semaines qu'apparaissent les contractions. Une à trois par heure contribuent à placer le bébé dans la bonne position pour la naissance. Le ventre de la mère s'abaisse, ce qui lui permet de respirer plus facilement. Mais elle doit aussi aller plus souvent aux toilettes, car l'enfant appuie désormais davantage sur la vessie.

La naissance approche. Vous trouverez à partir de la page 48 tous les renseignements concernant les signes annonciateurs de l'accouchement, son déroulement et le rôle que vous pouvez jouer pendant cet événement.

La naissance se prépare à deux

Bien sûr, c'est la mère qui porte l'enfant, et elle aussi qui le met au monde puis l'allaite. Mais la naissance se prépare à deux pour que chacun trouve sa place dans la famille qui se forme.

Les questions que vous vous posez

Vous avez des responsabilités à assumer, des décisions à prendre concernant la grossesse et l'accouchement. Mais vous vous sentez submergé de doutes et d'interrogations.

Si vous souhaitez que votre rôle ne se réduise pas à celui de géniteur, si vous voulez assumer pleinement votre paternité, il est bon que vous réfléchissiez d'ores et déjà à la manière dont vous envisagez votre nouvelle identité. Nous vous conseillons de recueillir toutes les informations nécessaires et de partager avec votre compagne toutes les décisions concernant la création de votre future famille.

Les consultations prénatales permettent de surveiller de près le développement du bébé, son état de santé ainsi que celui de sa mère. Ces visites médicales vous offrent l'occasion de participer activement à la grossesse, d'être partie prenante au même titre que votre compagne. Joignez-vous à elle aussi souvent que possible; vous pourrez ainsi poser des questions au médecin et vous faire préciser la position du bébé dans le ventre de sa mère. Vous pourrez aussi observer son évolution lors des séances d'échographie.

Mais il reste à regretter que certains médecins et sages-femmes tiennent peu compte des futurs pères dans les entretiens. Il est important que vous trouviez dès que possible un praticien qui soit aussi un interlocuteur privilégié, avec lequel vous puissiez tous les deux établir un climat de confiance.

Au cours de ces consultations, c'est généralement l'aspect médical de la grossesse qui est pris en considération. Les difficultés d'ordre affectif, psychologique et social que vivent les futurs pères au cours des quarante semaines

L'accompagnante à la naissance

Une accompagnante à la naissance offre aux parents un espace d'écoute et d'information pendant la grossesse, l'accouchement et les premiers mois de l'enfant. Elle leur apporte un soutien physique et moral qui leur permet d'être véritablement acteurs de cette période de la vie.

Sa particularité est d'être disponible tout au long des étapes entourant la naissance, en complément du suivi médical par la sage-femme ou le médecin; elle est présente à l'accouchement.

L'accompagnante à la naissance reçoit une formation spécifique et elle n'est pas habilitée à pratiquer des actes médicaux ou chirurgicaux.

Pour toute information complémentaire sur les accompagnantes à la naissance, consultez ce site Internet : www.alna.fr

de la grossesse ne sont généralement pas abordées. C'est pourquoi nous nous efforçons, dans cet ouvrage, de répondre aux questions que vous vous posez.

Le choix d'une sage-femme

Les consultations chez une sage-femme sont généralement plus agréables pour le futur père. Plus disponibles que les médecins, les sages-femmes prennent davantage de temps pour discuter des sujets qui peuvent vous préoccuper. L'idéal est que vous trouviez dès le début de la grossesse une sage-femme qui vous inspire confiance. Si vous avez l'impression que le courant passe mal avec la première personne que vous rencontrez, n'hésitez pas à en chercher une autre. Prenez si possible contact avec plusieurs sages-femmes et mettez-vous d'accord avec votre compagne pour choisir celle qui vous convient à tous les deux. À vous de définir le type de services que vous attendez d'une sage-femme. Elle peut vous assister avant et après la naissance, mais aussi pendant l'accouchement, en tant qu'infirmière libérale dans une maternité ou à domicile.

Lorsque vous choisissez une sage-femme, ne vous contentez pas de prendre en considération le type d'assistance que vous recherchez. Veillez également à ce que la sage-femme tienne compte de vous et vous prenne au sérieux en tant que futur père. Si vous ne vous sentez pas en confiance avec elle, parlez-en avec votre compagne. Demandez-vous si vous devez essayer de composer avec cette situation ou s'il n'est pas préférable de trouver une autre personne.

Les sages-femmes libérales

Représentant 12 % de la profession, elles exercent leur activité en cabinet, alors que la majorité des sages-femmes exercent dans établissements de soins publics ou privés. Seule une petite minorité (3 %) est salariée de la fonction publique, dans les centres de PMI (Protection maternelle et infantile).

L'activité des sages-femmes libérales est variée :

- consultations pré- et postnatales ;
- échographies ;
- suivi des grossesses normales ;
- cours de préparation à l'accouchement ;
- suivi des grossesses à risques sur prescription d'un médecin, pour éviter ou réduire l'hospitalisation ;
- accouchements ;
- rééducation périnéo-sphinctérienne.

Si vous optez pour un accouchement à domicile, nous vous conseillons de chercher une sage-femme qui est sous contrat avec un hôpital. En cas de nécessité, vous aurez ainsi la personne de votre choix pour vous assister à la maternité. Pour obtenir les coordonnées de sages-femmes, adressez-vous à l'ordre des sages-femmes (www.ordre-sages-femmes.fr).

Le choix du lieu de naissance

En France, la majorité des femmes accouchent dans une maternité, à l'hôpital ou dans une clinique. Seule une petite minorité opte pour l'accouchement à domicile ou pour l'accouchement ambulatoire, l'un et l'autre beaucoup plus développés dans nombre de pays européens. Quant aux maisons de naissance, également répandues dans les pays voisins, elles ne sont encore qu'à l'état de projet en France.

Votre compagne et votre enfant étant les principaux protagonistes de l'accouchement, il est essentiel que la future maman puisse l'envisager le plus sereinement possible. Le choix du lieu de naissance est primordial : il doit lui inspirer confiance. En cas de doute, la décision doit toujours être prise dans le sens de la sécurité. Prenez le temps de vous informer suffisamment. Visitez les salles d'accouchement, participez aux réunions d'information dans les maternités, échangez avec les sages-femmes. Vous trouverez dans les pages qui suivent des idées de questions à poser en visitant les salles d'accouchement. En commençant à vous renseigner dès le début de la grossesse, vous aurez le temps de prendre votre décision en toute connaissance de cause. Pour chaque lieu évoqué, nous recensons les avantages et inconvénients Afin de vous aider à arrêter votre choix entre un accouchement à la maternité ou à domicile, nous recensons les avantages et inconvénients de chacune de ces options (voir aussi encadré).

L'accouchement dans une maternité

Qu'elles appartiennent à un hôpital ou à une clinique, les maternités sont classées en trois types selon leur degré de médicalisation :

- Maternités de type 1 : disposant d'une unité d'obstétrique et pratiquant les actes pédiatriques courants, elles accueillent les grossesses normales.
- Maternités de type 2 : disposant d'une unité de néonatologie, elles accueillent les femmes dont on sait que l'enfant aura besoin d'une surveillance particulière.
- Maternités de type 3 : disposant d'une unité de néonatologie et d'une unité de réanimation néonatale, elles accueillent les femmes dont on sait que l'enfant sera en souffrance (grands prématurés et bébés atteints de malformations).

Les avantages

- Aspects médicaux : aide médicale rapide ; large choix de médicaments.
- Accouchement : pas besoin de préparer son domicile pour la naissance.
- Après la naissance : calme assuré à la naissance (favorise la montée de lait pour la mère et la prise de poids du bébé) ; aide de chaque instant avec le bébé ; soutien de chaque instant avec l'allaitement ; le bébé peut éventuellement être confié à quelqu'un.

Les inconvénients

- Accouchement : pas de possibilité de choisir la sage-femme ; en cas d'accouchement long, plusieurs changements d'équipe possibles pour les sages-femmes ; plusieurs femmes pour une sage-femme ; l'environnement médicalisé peut induire un sentiment d'être malade plutôt que de vivre un événement naturel ; les habitudes de la maternité peuvent être rigides, perturbantes, contraignantes.
- Après la naissance : contact limité enfant/père/mère après la naissance ;

si on partage sa chambre, le bruit, les visites, les pleurs des bébés peuvent être difficiles à supporter et avoir des répercussions sur l'allaitement.

L'accouchement à domicile

Ce mode d'accouchement, minoritaire en France, est privilégié par les parents qui souhaitent une naissance aussi naturelle que possible pour leur enfant, sans l'intrusion de la technique. La condition *sine qua non* de l'accouchement à domicile est que la grossesse se déroule normalement. Certains cas de figure sont exclus d'emblée, comme une naissance gémellaire ou une présentation par le siège. Si des complications surviennent au cours de l'accouchement (une sage-femme expérimentée les anticipe rapidement), elle vous dirigera vers une maternité ou elle appellera un

Pour vous aider à choisir le lieu de naissance

Pour vous aider à choisir avec votre compagne une maternité ou faire le choix d'un autre lieu de naissance que la clinique ou l'hôpital, voici une série de questions qui vous permettront de définir des priorités.

- Comment se présente la salle d'accouchement (environnement accueillant, large table, baignoire, tabouret d'accouchement…) ?
- Combien de sages-femmes comporte chaque équipe ? Combien d'accouchements ont lieu chaque mois ? Vous pouvez ainsi estimer le nombre approximatif de femmes accouchées par sage-femme, de même que la probabilité de devoir partager une sage-femme avec d'autres futurs parents.
- Votre compagne aura-t-elle la possibilité de se lever et de bouger pendant le travail, y compris au moment de l'expulsion ?
- Comment les contractions et les battements de cœur du bébé sont-ils surveillés ? La surveillance est-elle continue et systématique, intermittente, ambulatoire ? Une surveillance continue et avec branchement limite la liberté de mouvement de la femme.
- Quelles possibilités de participation vous offrent les sages-femmes et praticiens en tant que futur père présent à l'accouchement ?
- Comment le bébé sera-t-il accueilli ? Sera-t-il posé aussitôt sur le ventre de sa mère ou d'abord baigné et habillé ?
- Le cordon ombilical sera-t-il coupé aussitôt ou attendra-t-on qu'il cesse de battre (méthode plus douce pour le bébé) ?
- En cas de césarienne, pourrez-vous être présent et vous occuper aussitôt de l'enfant pendant que votre compagne sera encore sous l'effet de l'anesthésie ?
- Après l'accouchement, le placenta sera-t-il expulsé naturellement ou par l'administration de médicaments ?
- Le père peut-il rester dormir à la maternité pour être aux côtés de sa compagne et de son enfant ?
- Les mères sont-elles encouragées à allaiter ? Le personnel de la maternité est-il sensibilisé à l'allaitement ?

médecin à domicile. La sage-femme pourra-t-elle alors vous assister pendant l'accouchement à la maternité ? Tout dépend si elle est sous contrat avec celle-ci en tant que sage-femme exerçant une activité libérale à l'hôpital.

Un accouchement à domicile doit être préparé avec soin. Demandez à la sage-femme de vous préciser le matériel dont elle aura besoin, et rassemblez-le. Faites-vous également expliquer clairement avant l'accouchement dans quels cas la future maman peut être transférée à la maternité.

Il va de soi que la contribution du père est davantage sollicitée dans le cas d'une naissance à domicile que dans celui d'un accouchement dans une maternité. Votre compagne aura besoin de votre présence et de votre soutien. Si vous craignez de ne pas être tout à fait à la hauteur de la situation, parlez-en avec elle et faites appel à une personne de confiance que vous choisirez d'un commun accord pour vous seconder pendant l'accouchement. Le cas échéant, si vous avez des doutes ou des appréhensions par rapport à un accouchement à domicile, il peut être opportun d'envisager avec votre compagne le choix d'un autre mode d'accouchement.

Les avantages

- Aspects médicaux : grande disponibilité de la sage-femme (naissance plus naturelle, moins de complications et de risque d'interventions médicales) ; le déroulement de l'accouchement et l'accueil du nouveau-né peuvent être discutés au préalable.
- Accouchement : la sage-femme et les futurs parents se connaissent déjà ; confiance, bonne information ; pas de déplacements entre le domicile et le lieu de naissance.
- Après la naissance : le père, la mère et l'enfant sont ensemble dès la naissance ; les frères et sœurs peuvent faire rapidement connaissance avec le bébé.

Les inconvénients

- Aspects médicaux : matériel technique limité ; prévoir soi-même une consultation prénatale ; risques d'infections bactériennes plus élevés pour la mère et l'enfant ; en cas de complications, transfert obligatoire dans une maternité (perte de temps).
- Après la naissance : le début de la suite de couches à la maison peut être fatigant ; pendant le début de la suite de couches, la mère peut facilement présumer de ses forces ; en cas de complications, le transfert à la maternité est impératif ; les informations sur l'alimentation et les soins du bébé ne peuvent pas être données au moment où les questions se posent.

L'accouchement ambulatoire

Pratiqué depuis longtemps aux Pays-Bas, l'accouchement ambulatoire peut être une bonne manière de concilier la sécurité technique de la maternité et l'atmosphère chaleureuse de la maison. La femme reste chez elle pour le début du travail. Elle ne part à la maternité que lorsque les contractions deviennent intenses et se rapprochent. La sage-femme libérale qui a suivi la grossesse accompagne l'accouchement dans la maternité, où elle dispose d'un plateau technique.

Quelques heures après la naissance, la maman revient chez elle avec son bébé. La sage-femme assure le suivi postnatal, tandis qu'une aide ménagère prend en charge les tâches ménagères et les soins du bébé. Ce type d'accouchement est peu répandu en France, car les maternités qui sont prêtes à mettre un plateau technique à la disposition des sages-femmes sont rares.

Les maisons de naissance

Alternatives possibles à l'accouchement à domicile, les maisons de naissance existent en Suisse, en Allemagne et en Grande-Bretagne. Il s'agit de locaux gérés par des sages-femmes qui y effectuent les consultations prénatales, la préparation à l'accouchement et les accouchements, à condition qu'aucune pathologie n'ait été décelée. Elles sont en liaison avec une maternité en cas de complications.

En France, l'Assemblée a donnée son feu vert en novembre de 2013 pour le lancement à titre expérimentale de maisons de naissance. Jusque-là, les rares structures apparentées aux maisons de naissance étaient rattachées à une maternité publique ou privée.

Préparez l'accouchement

En étant présent pendant l'accouchement aux côtés de votre compagne, vous vivrez pleinement votre naissance en tant que père. C'est une expérience unique qui peut enrichir votre relation de couple. Mais même si vous n'êtes pas encore certain de vouloir assister l'accouchement, il est important que vous vous informiez aussi bien que possible et que vous vous prépariez à accueillir votre enfant.

La préparation à l'accouchement

La préparation à l'accouchement, ou méthode psycho-prophylactique, a été inventée par le médecin accoucheur français Fernand Lamaze dans les années 1950. Elle était alors l'aboutissement des observations et expériences du Dr Read à Londres et du Dr Velvoski à Leningrad, pour lesquels la douleur n'était pas indissociable de l'enfantement. La méthode vise à informer la mère pour supprimer la peur de l'accouchement, à la déconditionner. Elle agit à la fois sur le cerveau pour détruire les réflexes néfastes et sur le corps pour créer des réflexes utiles.

Au cours des séances de préparation à l'accouchement, les femmes acquièrent des connaissances théoriques sur la grossesse et le déroulement de l'accouchement. Elles apprennent également à respirer et à se détendre pour faciliter la naissance de leur enfant. Ces cours sont des moments d'échange privilégiés avec la sage-femme qui les anime. Ils permettent de créer un climat de confiance qui ne peut qu'être salutaire pour l'accouchement.

Les futurs pères peuvent en général participer aux cours. Ceux-ci leur offrent l'occasion de se préparer eux aussi à la naissance de leur enfant, en s'informant à leur tour et en pratiquant eux-mêmes les exercices, de manière à pouvoir mieux aider leur compagne au moment de l'accouchement.

Ces séances permettent enfin de rencontrer d'autres futurs parents, de partager avec eux des impressions et une expérience commune.

La préparation comprend le plus souvent la projection d'un film sur l'accouchement et la visite des salles de naissance, avec la visualisation des appareils comme le monitoring. Voici en outre la liste de principaux thèmes abordés, pour vous aider à réorienter la préparation si vous estimez que certains points n'ont pas été évoqués.

- Informations sur le déroulement de la grossesse et de l'accouchement.
- Positions à l'accouchement, exercices de respiration et de relaxation.
- Dans l'idéal : temps de parole pour les pères.
- Échanges avec de futurs parents.
- Informations sur le traitement de la douleur par méthodes naturelles ou par médicaments.

- Conseils pour les suites de couches, l'allaitement et les premiers mois avec le bébé.

Où suivre la préparation à l'accouchement?

La préparation à l'accouchement peut être suivie dans la maternité où votre compagne a décidé d'accoucher. Elle pourra se familiariser ainsi avec le personnel et les locaux. Vous pouvez aussi vous adresser à la sage-femme qui suit la grossesse et qui doit mettre votre enfant au monde. L'essentiel est de bien vous renseigner pour trouver une préparation qui corresponde à vos attentes. Informez-vous sur le nombre de séances, la durée, le contenu, la place accordée aux futurs pères. Essayez d'obtenir des renseignements de parents qui ont suivi la préparation.

Choisissez la bonne préparation

Sans vous livrer à un interrogatoire en règle, vous pouvez consulter cette liste de questions pour vous aider à choisir la préparation à l'accouchement. Rien ne vous empêche d'en discuter tranquillement avec votre compagne d'abord, puis avec l'animatrice. Peut-être ne vous suivra-t-elle pas sur tous les points, mais elle pourra prévoir quelques aménagements dans ses cours pour s'adapter à votre demande. Voici donc quelques questions possibles:

- Quel genre de formation dispense l'animatrice? Que cherche-t-elle à transmettre?
- La préparation englobe-t-elle les soins du bébé après la naissance?
- Donne-t-elle des informations sur les possibilités d'aide après la naissance pour décharger la maman?
- Comment les futurs pères sont-ils intégrés dans la préparation?
- Existe-t-il des temps de parole réservés aux pères?
- Existe-t-il un animateur pour les hommes, qui répond à leurs questions et à leurs préoccupations? (En fait, c'est plutôt rare.)
- Quelle est la durée de la préparation? Peut-on envisager des séances supplémentaires pour compléter la préparation?
- Les transformations dans la vie du couple (amoureuse, sexuelle) qui peuvent survenir pendant la grossesse et après la naissance sont-elles abordées?
- Des conseils sont-ils donnés pour l'organisation du temps et le partage des tâches après la naissance?
- Le comportement à adopter avec des bébés qui pleurent est-il abordé?
- Les cours aident-ils à se préparer soi-même, ainsi que les frères et sœurs, à l'arrivée du bébé, de manière à éviter la jalousie?

En dehors de la préparation classique, il existe d'autres pratiques qui visent toutes à alléger la douleur, du moins à aider les femmes à mieux l'affronter et la supporter. Les futurs pères peuvent assister aux séances, même s'ils ne peuvent pas toujours participer eux-mêmes.

- La sophrologie apprend à la future mère à se relaxer. La sage-femme formée à la pratique la guide pour

Comprendre ce qui se passe

Beaucoup de femmes et d'hommes appréhendent les douleurs qui accompagnent l'accouchement. Or, la peur peut provoquer de fortes tensions musculaires. Des muscles qui devraient être relâchés pour favoriser la naissance sont contracté, et la contraction engendre la douleur. Le contrôle de la douleur passe donc par le contrôle de la peur. Mais comment ? En expliquant aux parents ce qui se passe dans le corps de la femme pendant la grossesse et comment le bébé va naître. Pour dominer la peur, la femme apprend aussi à détendre ses muscles, ses nerfs et son esprit par des exercices de respiration et de relaxation.

entrer dans un état proche du sommeil afin de détendre son corps au maximum, en l'encourageant à avoir des pensées positives.

- Le yoga apprend à respirer et à se relaxer, et il permet de soulager des troubles fréquents chez la femme enceinte, comme les jambes lourdes ou les maux de dos. Les cours sont dispensés par une sage-femme ou un professeur de yoga spécialement formé.
- La préparation en piscine est une sorte d'aquagym très douce animée par une sage-femme. La température de l'eau, comprise entre 28° et 32°, favorise la détente, soulage les maux de dos et les jambes lourdes. Les mouvements de préparation à l'accouchement sont facilités dans l'eau.
- Le chant prénatal permet de mieux gérer les contractions et de soulager la douleur. Les cours sont dispensés par une sage-femme ou un professeur de chant. Le futur père est le bienvenu, car il peut aider sa compagne à chanter pendant l'accouchement.

Quel intérêt pour le père ?

Que vous suiviez la préparation à l'accouchement n'a rien d'obligatoire, mais cela peut vous aider à répondre à certaines de vos questions ou vous éviter de céder à des angoisses trop fortes. Par contre, il est important que votre présence à ces séances, voire à l'accouchement lui-même, soit décidée d'un commun accord avec votre compagne : certaines femmes ne souhaitent pas la présence de leur conjoint pour des questions de pudeur et peuvent mal vivre leur transformation physique ou la déformation de leur corps au moment de la naissance.

Vous préparer à deux

Les hommes sont souvent très intéressés par les aspects techniques et médicaux de la grossesse et de l'accouchement. Ils souhaitent savoir précisément comment se déroule un accouchement. Ils veulent être assurés que le nécessaire sera fait pour leur compagne et leur enfant en cas d'urgence. Dans les cours de préparation à l'accouchement, ils ne se sentent pas particulièrement attirés par les exercices respiratoires et de relaxation. Pourtant, vous avez tout intérêt à pratiquer ces exercices vous aussi. Mieux vous les maîtriserez, mieux vous pourrez seconder votre compagne pendant l'accouchement, en l'aidant par exemple à trouver et à garder la respiration qui convient selon les étapes du travail., ou en lui suggérant un changement de position.

Rencontrez de futurs pères

Où pouvez-vous rencontrer de futurs pères ? Si vous n'en connaissez pas dans votre entourage, les cours de préparation à l'accouchement sont un lieu privilégié pour entrer en contact avec des hommes qui se trouvent dans la même situation que vous. Profitez-en pour échanger vos impressions, partager vos expériences. Vous pourrez même tisser des liens durables.

Avant de vous inscrire, et au plus tard au début des cours, demandez à la personne qui les anime comment elle envisage d'intégrer les futurs pères dans la préparation à l'accouchement. Le cas échéant, si elle n'a pas d'idées précises sur la question, formulez des suggestions. Réfléchissez avec elle sur les besoins ou les attentes que peuvent avoir les hommes en tant que futurs pères, et sur l'apport que peut représenter à cet égard la préparation à l'accouchement. Si l'animatrice ne semble pas vouloir se mettre à l'écoute des hommes, renseignez-vous ailleurs, ou affirmez-vous d'une manière ou d'une autre pendant les cours.

Enfin, vous pouvez aussi proposer aux autres hommes présents des rencontres à l'extérieur, sans vos compagnes. Ils accueilleront sans doute votre suggestion avec plaisir.

Questions pour les futurs papas

Voici quelques suggestions de sujets de discussion avec les futurs pères que vous rencontrerez pendant les cours ou en dehors :

- Quels sont mes désirs et mes appréhensions concernant l'accouchement ?
- Est-ce que je souhaite assister à l'accouchement ? Suis-je prêt à suivre son déroulement dans sa totalité, ou seulement en partie ?
- Comment pouvons-nous fêter la naissance de notre famille ?
- Qu'est-ce qui me paraît important pour les premiers temps avec mon bébé à la maison ?
- Pendant les suites de couches, comment puis-je décharger et aider ma compagne ?
- De quelle manière l'arrivée de notre enfant peut-elle changer notre relation de couple ?
- Comment notre vie sexuelle s'est-elle modifiée depuis le début de la grossesse ? Comment est-ce que je fais face au changement ? Comment peut-elle évoluer après l'accouchement ?
- Qu'est-ce qui me paraît important dans l'éducation de mon enfant ?
- Qu'est-ce que je souhaite transmettre à mon enfant en tant que père pour le reste de sa vie ?
- Comment ma nouvelle identité de père peut-elle modifier ma relation avec mes propres parents ?

Aménagez votre intérieur

Se préparer à l'arrivée d'un enfant, c'est aussi aménager son intérieur de manière à pouvoir l'accueillir dans les meilleures conditions possibles. Ces préparatifs qui rythment les mois de la grossesse participeront à la création de votre famille, s'il s'agit de votre premier enfant.

Une chambre pour l'enfant?

Beaucoup de parents ne peuvent concevoir l'arrivée de leur enfant sans l'aménagement d'une chambre qui lui soit réservée. Pourtant, ce n'est pas absolument indispensable. Au départ, le bébé n'a pas besoin de sa propre chambre. Il aime dormir à côté de ses parents, voire dans leur lit. Cette dernière solution, même si elle ne correspond pas aux coutumes en usage dans notre société, offre un avantage certain sur le plan pratique: les parents n'ont pas besoin de se lever la nuit lorsqu'il les réclame. Elle est surtout appréciable lorsque la maman allaite. Une fois le bébé au sein, elle peut continuer à se reposer. Et vous aussi, vous pouvez profiter du contact physique avec votre bébé, entendre sa respiration, sentir son odeur. Si votre lit n'est pas suffisamment large, ou si vous avez le sommeil léger, installez le lit du bébé de sorte que son matelas soit à la hauteur du vôtre. Posez un oreiller entre votre enfant et vous pour éviter de rouler sur lui.

Autre possibilité: en attendant que le moment soit venu de laisser l'enfant seul dans la chambre qui lui est destinée, vous pouvez vous y installer avec lui en aménageant un coin pour vous. En effet,

Si vous changez de logement

La première grossesse est parfois l'élément décisif qui pousse les partenaires d'un couple à s'installer dans un logement commun. L'arrivée du premier enfant peut également imposer la recherche d'un logement plus grand. Que vous soyez dans l'un ou l'autre cas, privilégiez la modération dans vos objectifs et vos choix. L'acquisition d'un logement vaste, que vous souhaitez aménager et meubler du mieux possible, nécessitera l'investissement de sommes considérables. Vous devrez peut-être travailler en conséquence, ce qui implique que vous aurez sans doute peu de temps à consacrer à votre famille. C'est le moment ou jamais d'établir des priorités pour la vie de votre nouvelle famille, en accord avec votre compagne. Avez-vous vraiment besoin d'un intérieur ultramoderne, conçu dans le moindre détail? N'est-il pas préférable de revoir vos prétentions à la baisse en matière de niveau de vie, de confort matériel? L'arrivée de votre enfant vaut peut-être la peine que vous réduisiez votre temps de travail, que vous envisagiez éventuellement avec votre compagne de prendre un congé parental à tour de rôle?

le bébé dans le lit des parents n'est pas toujours la solution idéale...

L'équipement de base

Bleu ou rose ? Peut-être ne connaissez-vous pas encore le sexe de votre enfant ? Peut-être n'aimez-vous d'ailleurs aucune de ces deux couleurs ? Le temps où les hommes étaient considérés comme des extra-terrestres dans les boutiques de puériculture est désormais révolu. Eux aussi donnent leur avis sur le choix de l'équipement pour le bébé, et ils participent aux achats. D'ailleurs, depuis un certain temps déjà, les nouveaux pères sont devenus la cible des publicitaires.

Faites simple

Si vous n'avez pas beaucoup de moyens ou que vous ne souhaitez pas investir dans du matériel qui ne servira plus par la suite, limitez vos achats aux objets les plus indispensables.

- Faites-vous prêter certains objets : baignoire, couffin, poussette, etc. Vous pouvez aussi les acheter d'occasion.
- Un bébé a besoin de beaucoup de change dans les premiers mois, mais il grandit très vite. Vous avez certainement des copains qui pourront vous donner des vêtements de naissance.
- Évitez certains investissements onéreux et encombrants : une table à langer n'est pas indispensable par exemple. Vous pouvez installer le coin du change sur un meuble haut ou sur une petite table.
- Un couffin suffit pour les premiers mois. Cela vous évitera d'acheter un berceau et vous permettra d'investir dans un bon lit d'enfant quand le besoin s'en fera sentir.

Pour le trousseau

Pensez aux vêtements d'occasion. Bon marché, ils offrent également l'avantage, suite aux lavages répétés, d'être débarrassés des apprêts chimiques qui peuvent provoquer des allergies. Mieux encore : vous pouvez vous faire prêter des vêtements par des personnes de votre entourage, amis ou membres de votre famille, qui ont déjà des enfants. Les bébés grandissent si rapidement qu'ils ne portent souvent la même taille que deux ou trois semaines d'affilée.

Aux personnes qui sollicitent votre avis pour vous offrir de la layette, précisez que vous préférez le coton aux matières synthétiques pour les vêtements qui seront directement en contact avec la peau du bébé.

La sécurité

En revanche, ne cherchez pas à faire des économies lorsque la sécurité de votre enfant est en jeu. Pour des achats de matériel comme un babyphone ou une table à langer, ne vous contentez pas de prendre en considération l'aspect fonctionnel et le prix. Vérifiez s'ils ne sont pas dangereux ou toxiques. Tenez compte de l'impact qu'ils peuvent avoir sur la santé et sur l'environnement, comme la pollution électromagnétique pour un babyphone. Pour choisir ces produits, vous trouverez des conseils et des tests comparatifs dans les magazines de consommateurs et ceux pour jeunes parents.

Le porte-bébé

Un porte-bébé ventral peut compléter avantageusement une poussette. Bébés et parents apprécient généralement le contact physique qu'il procure. Un porte-bébé s'avérera aussi beaucoup plus pratique qu'une poussette si vous avez des escaliers à monter ou si vous prenez les transports en commun.

Faites-vous expliquer avec précision l'emploi du porte-bébé jusqu'à ce que vous vous sentiez à l'aise avec ce mode de transport. Bien conçu et bien monté, il peut favoriser le développement de votre enfant. Dans le cas contraire, il peut abîmer sa colonne vertébrale.

Les personnes âgées ont souvent des réserves par rapport à l'emploi du porte-bébé. Mais ne vous laissez pas déstabiliser par des réflexions laissant entendre, par exemple, que le bébé a du mal à respirer.

Les déplacements

Pour les déplacements en voiture, votre enfant a besoin d'un siège auto. Renseignez-vous bien avant l'achat, en consultant les résultats des tests comparatifs. Là encore, c'est la sécurité qui doit primer sur tous les autres critères de choix. Réservez ce siège aux déplacements en voiture ou, tout au plus, au transport du bébé de la voiture à la maison. En effet, s'il reste trop longtemps dans la position semi-assise, sa colonne vertébrale peut être endommagée. Suivez bien les instructions du fabricant pour le montage, notamment en ce qui concerne les airbags.

La promenade

La poussette-landau est le moyen de transport le plus prisé au départ. Elle doit être équipée d'une bonne suspension pour ménager le dos du bébé. Les poussettes cannes sont totalement déconseillées pendant les premiers mois. Pour protéger votre propre dos, pensez à choisir un modèle avec une poignée suffisamment haute. Vérifiez aussi que vous avez assez de place pour les pieds, pour éviter de vous cogner en la poussant ou de devoir marcher à côté. Les autres critères à prendre en compte sont un empattement suffisamment grand entre les roues pour assurer une meilleure stabilité, l'existence de freins de chaque côté des roues et le système de pliage pour pouvoir transporter facilement la poussette dans votre voiture. Si vous devez la porter dans des escaliers, elle ne doit pas être trop lourde. Enfin, pour les transports en commun, un modèle peu encombrant est souhaitable.

La sexualité pendant la grossesse

Pendant la grossesse, le corps de la femme assume des fonctions naturelles qui entraînent certains désagréments. Toutefois, la grossesse est aussi une période privilégiée pour redécouvrir votre compagne et réinventer vos relations sexuelles. Échangez vos impressions sur les métamorphoses de votre vie amoureuse, restez à l'écoute de vos désirs respectifs.

Une sexualité épanouie

Pour beaucoup de futurs parents, c'est pendant le deuxième trimestre de la grossesse que les relations sexuelles sont vécues avec le plus de sensualité et de satisfaction. Beaucoup d'hommes (mais aussi de femmes) trouvent très érotiques les rondeurs du ventre. Tout en gagnant en volume, les seins deviennent également plus sensibles.

Chez nombre de femmes, le désir est stimulé pendant cette période par une meilleure irrigation des organes sexuels, et leur libido est parfois exacerbée par rapport à celle de leur partenaire. Si vos besoins sont différents, ne vous sentez pas obligé de répondre aux attentes de l'autre ; un tel comportement peut se révéler source de tensions. Parlez-en ouvertement entre vous et ayez éventuellement recours à la masturbation, sans mauvaise conscience.

Le merveilleux avantage de la grossesse, c'est que la sexualité peut être vécue en toute tranquillité pendant cette période, sans avoir à penser à la contraception. Du point de vue médical, il n'existe aucune contre-indication à l'activité sexuelle, à condition qu'il n'y ait pas de douleurs ou de complications particulières qui imposeraient alors certaines restrictions. Si vous-même ou votre compagne avez des doutes à ce sujet, demandez l'avis du gynécologue ou de la sage-femme qui assure le suivi de la grossesse. Sinon, vous pouvez l'un et l'autre donner libre cours à vos envies.

Les modifications de l'équilibre hormonal chez la femme pendant la grossesse entraînent parfois une sécheresse vaginale. Ce petit problème peut être source de gêne ou même de douleur pour votre compagne pendant les rapports. Mais un peu de lubrifiant suffira à le résoudre.

Un bébé protégé

Inutile d'avoir des craintes pour la santé de votre enfant. Il est bien protégé dans l'utérus de sa mère, fermé par le bouchon muqueux. La peur d'infecter le bébé n'est donc pas justifiée si l'un des deux partenaires n'est pas malade. En outre, le liquide amniotique dans lequel baigne le bébé le protège des chocs. L'enfant n'est donc pas comprimé dans le ventre de sa mère, du moins les premiers mois. Et si vous vous sentez gêné par sa présence dans le ventre de votre compagne, réjouissez-vous à l'idée que votre enfant partage le plaisir de ses parents, expression de leur amour.

Quant aux rondeurs du ventre de votre compagne, si elles rendent inconfortable votre position favorite, essayez-en d'autres. Aucune position n'est conseillée ou déconseillée. Chacun doit être attentif à l'autre. Faites preuve d'imagination, en sachant que la pénétration n'est pas absolument indispensable à l'harmonie de votre vie sexuelle. Elle peut être remplacée par des manifestations de tendresse, des jeux érotiques, ou d'autres approches sexuelles, comme les caresses manuelles et buccales, l'essentiel étant de créer une complicité amoureuse.

Votre vie sexuelle est importante pour entretenir une relation profonde, mais pensez aussi à votre vie quotidienne : continuez de faire des projets à deux, faites des escapades en amoureux, vous pratiquez une activité qui plaît à tous les deux.

Lorsque le désir manque

Contrairement au deuxième trimestre de la grossesse, certaines femmes ne se sentent pas toujours bien dans leur corps pendant les premier et troisième trimestres. Plus particulièrement durant les premières semaines, beaucoup de femmes souffrent de nausées qui, chez certaines, peuvent se prolonger jusqu'à la fin de la grossesse et diminuent l'envie de faire l'amour.

Pour nombre de femmes, le dernier trimestre de la grossesse est très fatigant. Le ventre augmente considérablement de volume et il devient de plus en plus lourd. Souvent, les femmes se plaignent de ne plus pouvoir respirer comme il faut. Elles ont des difficultés à monter les escaliers ou à changer de position, lorsqu'elles sont allongées. En été, elles souffrent fréquemment d'œdèmes aux jambes. À ces désagréments s'ajoute le mal de dos dû à un surpoids pouvant atteindre chez certaines une vingtaine de kilos.

Toutes ces modifications vont influer naturellement sur la libido. Pendant cette période souvent placée sous le signe de la fatigue, les femmes éprouvent davantage un besoin d'affection, de tendresse et de compréhension. Elles apprécient les marques d'attention et les gestes réconfortants, comme les massages.

Pendant ces deux périodes de la grossesse, nombre de couples ont peu de relations sexuelles. Mais peut-être est-il bon pour chacun des deux partenaires de se libérer de la contrainte selon laquelle la pénétration est indispensable à la satisfaction du désir. Bien d'autres moyens existent ; il suffit d'être imaginatif, de modifier ses habitudes pour s'adapter à cette nouvelle situation, aux nouvelles envies de chacun. Vous trouverez à partir de la page 107 des suggestions destinées à développer

Aider à déclencher l'accouchement

Si le délai prévu pour l'accouchement est atteint ou dépassé et que les contractions se font attendre, vous pouvez exploiter à profit l'effet des prostaglandines. Au contact du col de l'utérus, votre sperme agira à peu près comme la plupart des médicaments utilisés dans les maternités pour déclencher l'accouchement… tout en étant nettement plus agréable !

votre complicité amoureuse pour faire face à ces changements.

Soyez attentif à l'autre

Essayez chacun de satisfaire vos besoins respectifs aussi souvent que possible sans vous contraindre à répondre aux attentes de l'autre. Soyez à l'écoute de vos propres désirs, mais respectez aussi ceux de votre partenaire. Parlez ensemble de vos craintes et de vos envies.

Les fluctuations de la libido chez les deux partenaires au cours de la grossesse peuvent être source de difficultés, y compris dans un couple en harmonie. Mais il est important d'échanger ses émotions respectives, car dans le domaine de la sexualité, les non-dit peuvent être à l'origine de conflits et de séparations. Consultez éventuellement des ouvrages sur le sujet ; ils peuvent apporter des réponses à vos questions sur les rapports sexuels pendant la grossesse et après l'accouchement.

Attention aux contractions

Le sperme contient des prostaglandines, qui stimulent la dilatation du col de l'utérus et activent les contractions, du moins chez les femmes qui y sont prédisposées.

Si votre compagne a tendance à avoir des contractions pendant la grossesse, parlez-en au gynécologue ou à la sage-femme. Demandez-leur s'il suffit d'éloigner le sperme du col de l'utérus, par exemple par l'emploi du préservatif, ou si vous devez renoncer aux rapports sexuels pour minimiser le risque d'accouchement prématuré.

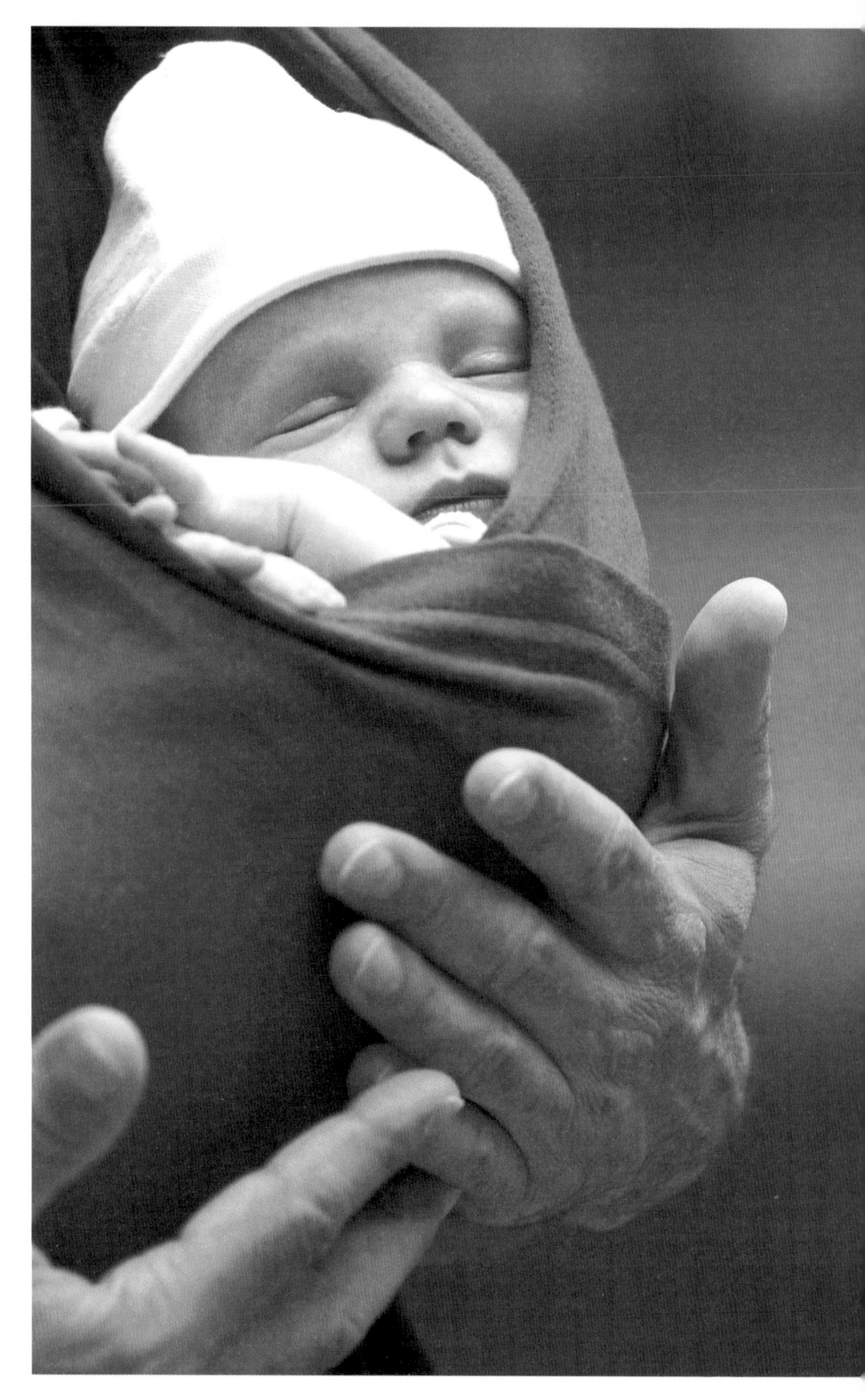

L'arrivée
du tout-petit

La naissance est maintenant toute proche et vous êtes peut-être partagé entre l'impatience et la crainte. Vous vous occupez des derniers préparatifs pour accueillir votre bébé. L'accouchement est un moment fort de votre vie de couple et il se peut que vous redoutiez de ne pas être à la hauteur de cet événement. En comprendre le déroulement pourra vous aider à le vivre pleinement le moment venu.

Ce qu'il faut savoir pour pouvoir vivre pleinement, à deux, la naissance de son enfant.

C'est votre premier enfant

Aujourd'hui, plus de 90 % des pères sont très investis dans l'accouchement et assistent leur compagne. La venue au monde de leur premier enfant consacre leur naissance comme pères, mais aussi la naissance de la famille qu'ils fondent avec leur compagne.

Vivre à deux la naissance

Si certains médecins pensent que la présence du père à l'accouchement augmente le risque de complications, d'autres défendent le contraire : un père bien informé et bien préparé est une aide précieuse pour sa compagne au moment de l'accouchement. Sa présence est rassurante pour la femme, notamment dans le contexte médicalisé de la maternité.

Pour beaucoup de pères, la naissance de leur enfant compte parmi les expériences inoubliables de leur vie. C'est à ce moment-là qu'ils établissent le premier véritable contact physique et affectif avec le bébé. La naissance marque ainsi le début d'une relation intime et privilégiée avec votre enfant, fille ou fils.

Si vous vous préparez bien à l'accouchement et si vous y assistez, votre participation ne peut être que bénéfique pour votre enfant. Les enfants de pères impliqués sont généralement plus avancés dans leur développement et plus épanouis que les autres.

Si vous vivez à deux la naissance de votre enfant, c'est également enrichissant pour votre couple. Votre compagne devient mère, vous-même devenez père, et vous créez ensemble une famille. Vous partagez un moment privilégié. Cette expérience exceptionnelle renforce votre relation, scelle plus intensément votre couple. Toutes ces raisons justifient largement que vous vous investissiez pleinement dans la naissance de votre enfant.

Un bon départ pour la vie de la famille

Les résultats d'études montrent que les pères présents à la naissance de leurs enfants :

- leur consacrent souvent davantage de temps ;
- changent plus régulièrement leurs bébés ;
- les portent davantage dans leurs bras ;
- les promènent plus souvent dans la poussette ou le porte-bébé ;
- sont plus à l'aise dans leurs relations physiques avec leurs enfants.

Comment faire face

Beaucoup de personnes, femmes et hommes, sont impressionnées par la vue du sang. Pendant les séances de préparation à l'accouchement, les futurs pères avouent souvent leur crainte de s'évanouir en assistant à la naissance de leur enfant. Ces appréhensions sont tout à fait compréhensibles, car un accouchement place le père dans une situation inconnue et hors du commun. C'est à vous de juger si vous vous sentez capable d'affronter cet événement si particulier, d'être confronté à des émotions fortes et complexes, et aux désagréments qui y sont liés.

Si vous souhaitez participer activement à la naissance de votre enfant, vous verrez vraisemblablement du sang et des mucosités. Le meilleur moyen de s'informer sur cet événement aussi naturel qu'exceptionnel est d'en parler avec des pères qui ont vécu l'expérience avant vous. Sachez néanmoins qu'au cours de l'accouchement, vous avez tout à fait le droit de changer d'avis, selon ce que vous serez capable de supporter. Si vous vous sentez mal à un moment ou à un autre, inutile d'avoir honte; c'est tout à fait normal dans une situation aussi inhabituelle, qui peut être source de stress. Une fois que votre enfant est arrivé au monde, en restant debout ou accroupi près de la tête de la maman, jusqu'à ce que le cordon ombilical soit coupé, vous ne verrez pas beaucoup de sang.

Après l'accouchement, votre compagne aura des saignements pendant quelques jours, notamment pendant les premières heures. C'est surtout dans le cas d'un accouchement à domicile que vous risquez alors d'être confronté à la vue du sang, car votre compagne aura sans doute besoin de votre aide.

Soyez conscient de vos limites

Si malgré toutes les informations que vous avez eues, vous doutez encore de vous, si vous n'êtes pas sûr de pouvoir être le bon accompagnant au moment de l'accouchement, réfléchissez encore à ce qui suit:

- Qu'appréhendez-vous dans l'accouchement?

- Que souhaitez-vous voir? Que voulez-vous éviter de voir?

- Même si vous avez des craintes, accompagnez votre compagne à la maternité. Convenez avec elle au préalable que vous pourrez quitter la salle de naissance lorsque vous ne vous sentirez plus en mesure d'affronter le reste.

- Sachez que votre présence à l'accouchement ne signifie pas nécessairement que vous deviez assister de près à l'expulsion du bébé. Restez assis à côté de votre compagne, parlez-lui et laissez la sage-femme ou le médecin faire son travail.

Les cris : une aide précieuse

Certains hommes supportent assez difficilement les gémissements et les cris qui accompagnent les douleurs dues aux contractions. Dans les séances de préparation à l'accouchement, vous apprendrez à quel point il est important que la femme ne les réprime pas, mais qu'elle exprime sa douleur, tant pour elle-même que pour son bébé. Celui-ci descendra plus facilement si elle ne contracte pas ses muscles en essayant de taire sa douleur. Si vous respirez avec votre compagne ou entonnez les sons graves du chant prénatal, vous supporterez mieux ses manifestations bruyantes.

Conseils aux pères pour l'accouchement

- Choisissez ensemble le lieu de naissance de votre enfant. Visitez les salles d'accouchement, participez aux réunions d'information, échangez avec les sages-femmes.
- Partagez vos doutes, vos attentes, vos appréhensions avec des pères de votre entourage. Il suffit souvent de parler de ses inquiétudes pour les voir disparaître.
- Cherchez au plus tard trois mois avant l'accouchement une sage-femme qui pourra prendre en charge les consultations prénatales, le suivi postnatal et/ou l'accouchement, selon les services que vous attendez d'elle et l'endroit où votre enfant doit naître.
- Aidez votre compagne à préparer à temps les deux valises pour la maternité.
- Familiarisez-vous avec le trajet jusqu'à la maternité. Le cas échéant, le jour J, faites-vous conduire si vous vous sentez trop tendu.

- Après avoir pesé le pour et le contre, si vous pensez que vous n'êtes pas prêt à assister à l'accouchement, c'est votre droit. Mais informez votre compagne de votre décision suffisamment à l'avance, de préférence quatre à huit semaines avant la date prévue. Elle aura ainsi le temps de trouver éventuellement une personne de confiance pour vous remplacer pendant l'accouchement.
- N'hésitez pas à interroger des hommes de votre entourage (famille, amis ou collègues de travail) sur la manière dont ils ont vécu la naissance de leurs enfants. Laissez-les tout d'abord parler de leur expérience, de leurs impressions, sans leur poser de questions précises, comme leur réaction à la vue du sang. Celles-ci viendront spontanément au cours du dialogue.

Ce qu'il faut clarifier avant la naissance

Au moment de l'accouchement, votre compagne sera dans un état physique et psychique inhabituel. Elle ressentira notamment de fortes douleurs. Vous ne l'aurez encore jamais vue dans cet état, très particulier, et vous serez supposé lui apporter votre soutien du mieux que vous le pourrez.

Il est donc important que vous discutiez avec votre compagne avant l'accouchement, pendant les séances de préparation et chez vous, de ce qu'elle attend de vous, de la manière dont elle envisage votre rôle et dont vous pourrez l'aider concrètement. Peut-être vous représentez-vous chacun l'accouchement différemment, et il est important que vous le sachiez afin de pouvoir affronter la situation dans les meilleures conditions possibles.

Que vous ayez décidé de participer à l'accouchement, que vous ayez encore des doutes ou que vous sachiez déjà que vous ne souhaitez pas être présent le jour J, dans tous les cas il est essentiel que vous soyez bien préparé à la naissance de votre enfant.

Les grossesses à risques

Au cours des dernières années, le nombre des grossesses dites « à risques » a augmenté de manière significative. Toutefois, cette évolution ne signifie pas que les risques de complications soient accrus pour la mère et l'enfant au moment de l'accouchement. Bien au contraire, ils sont en nette diminution.

L'augmentation des grossesses à risques est tout simplement attribuable au fait que les femmes enceintes de plus de 38-40 ans sont automatiquement classées dans cette catégorie. Or, au cours des dernières décennies, il est apparu que les femmes mettent leur premier enfant au monde de plus en plus tardivement. Beaucoup sont âgées de 38 ans ou plus, et elles entrent alors automatiquement dans la catégorie des grossesses à risques.

De fait, plus la femme est âgée, plus augmente le risque que le bébé naisse avant terme ou que des complications apparaissent pour lui *in utero*. Ce qui explique que la grossesse fasse l'objet d'une surveillance encore plus stricte, au moyen de consultations plus fréquentes et d'examens spécifiques, comme l'amniocentèse, qui permet de dépister rapidement la trisomie 21.

Néanmoins, l'âge avancé de la mère n'est qu'un facteur de risque parmi d'autres, et pas le plus grave ! Le risque d'une naissance prématurée est beaucoup plus élevé lorsque la femme enceinte fume.

Parmi les autres raisons qui justifient de classer une grossesse dans les grossesses à risques, citons encore :

- tendance à l'hypertension chez la femme enceinte ;
- diabète ;
- accouchements antérieurs par césarienne ;
- grossesses gémellaires.

Des précautions à prendre

Inutile de préciser que dans le cas d'une grossesse dite « à risques », votre compagne et vous-même devez redoubler de précautions et adapter votre comportement pour qu'elle se déroule dans les meilleures conditions possibles :

- Chaque fois que vous le pouvez, accompagnez votre compagne aux consultations prénatales, qui doivent être plus fréquentes.

L'heure de la naissance

Seulement 4 % des bébés arrivent au monde le jour prévu ! La plupart naissent entre 14 jours avant la date prévue et 14 jours après. À l'intérieur de ce laps de temps, tout est normal. Au-delà, le médecin doit juger s'il convient ou nom d'intervenir. Mais sauf cas pathologique, on ne déclenche pas un accouchement avant 38 semaines et demie ou 39 semaines.

- Aidez votre compagne à vivre sa grossesse avec confiance et sérénité.
- En cas de doute ou d'inquiétude, informez-vous avec précision auprès des spécialistes, jusqu'à ce que vous obteniez une réponse satisfaisante.
- Le cas échéant, consultez un autre praticien que celui qui assure le suivi de la grossesse, pour recueillir un second avis sur la question, notamment si le diagnostic, le traitement et la marche à suivre qui vous sont donnés ne vous paraissent pas pertinents.
- Pour les consultations prénatales, adressez-vous à une sage-femme. Vous apprécierez particulièrement ses services et sa disponibilité dans le cas d'une grossesse à risques.

Au quotidien, vous pouvez aussi prendre un certain nombre de mesures qui rendront la vie plus douce et éviteront d'ajouter du stress à une situation déjà angoissante :

- Veillez à ce que votre compagne ait une alimentation particulièrement saine et équilibrée. Plusieurs petits repas répartis dans la journée, comprenant beaucoup de fruits et de légumes, des aliments légers et riches en vitamines, sont conseillés, notamment pendant les derniers mois et en cas de brûlures ou d'aigreurs à l'estomac.
- Soyez soucieux de l'équilibre psychique et émotionnel de votre compagne, veillez à ce qu'elle soit détendue. Consacrez-lui le plus de temps possible, en limitant éventuellement vos activités extérieures.
- Nombre de femmes enceintes veulent continuer à vivre comme à l'accoutumée, en menant de front leur

Deux valises pour la naissance

Une valise pour la maman

- Carte Vitale
- Carnet de maternité
- Livret de famille
- Carte de groupe sanguin
- Dossier médical
- Peignoir ou robe de chambre
- Chemises de nuit s'ouvrant devant pour l'allaitement ou pyjamas
- Chaussettes chaudes
- Pantoufles confortables
- Nécessaire de toilette
- Baume pour les lèvres desséchées
- Brumisateur
- MP3, livres, jeu de cartes
- Compresses pour les soins des seins
- Slips jetables et serviettes hygiéniques
- Mouchoirs jetables, serviettes de toilette, gants
- Papier à lettres, carnet
- Bouchons anti-bruit
- Vêtements pour le retour à la maison

Une valise pour le bébé

- Brassières fines en coton (une par jour)
- Brassières chaudes (une par jour)
- Grenouillères en tissu éponge (une par jour)
- Paires de chaussettes ou chaussons (une par jour)
- Rouleau de filet élastique pour le nombril
- Deux serviettes de toilette
- Bonnet et nid d'ange pour la sortie

grossesse, leur activité professionnelle et les tâches domestiques. Prenez l'un et l'autre le temps de vous préparer sereinement à la naissance de votre enfant, en accordant si nécessaire moins d'importance à d'autres aspects de votre vie, comme le travail.

Derniers préparatifs

Environ trois semaines avant la date prévue de l'accouchement, aidez votre compagne à préparer deux valises pour la maternité (une pour elle et une pour votre bébé), et gardez-les à portée de main jour et nuit. Ces conseils sont également valables si vous avez opté pour l'accouchement à domicile, car en cas de complications, vous pouvez être amenés à partir en urgence à la maternité.

En général, lors des dernières séances de préparation à l'accouchement, une liste indicative vous est fournie par la sage-femme. Vérifiez assez longtemps à l'avance que vous n'avez rien oublié.

Pensez à noter sur un Post-it à côté du téléphone le numéro d'une compagnie d'ambulance ou de taxis au cas où vous ne seriez pas vous-même à la maison ou que vous vous sentez trop perturbé pour conduire...

L'accouchement étape par étape

L'approche de la naissance est annoncée par des signes caractéristiques. De quoi rassurer les futurs parents, qui redoutent toujours de se laisser surprendre par l'arrivée de leur bébé. S'il n'est pas judicieux de courir à la maternité à la plus petite contraction, il est toutefois important de ne pas se précipiter au dernier moment.

Le début du travail

L'apparition des contractions est le signe le plus sûr qui marque le début du travail. Beaucoup de femmes perçoivent alors une sensation d'étirement dans le bas-ventre et/ou le dos. Des douleurs soudaines dans le dos vers la date prévue de l'accouchement peuvent également correspondre au début du travail.

Un autre signe annonciateur est la perte des eaux, y compris en l'absence de contractions au préalable. Lors de la rupture de la poche des eaux, le liquide amniotique peut s'écouler sous la forme d'un suintement régulier ou d'un épanchement soudain. Appelez alors la maternité, le médecin ou la sage-femme qui doit assurer l'accouchement pour savoir ce que vous devez faire.

Chez certaines femmes, c'est l'expulsion du bouchon muqueux qui coïncide avec le début du travail. Toutefois, ce bouchon, qui ferme le col de l'utérus, peut se désagréger quelque temps avant l'accouchement, sans qu'il y ait apparition de contractions et sans que la grossesse en soit affectée d'une manière ou d'une autre. La perte du bouchon muqueux se signale généralement à l'attention des femmes par la présence de mucosités sanguinolentes importantes dans leur linge ou lorsqu'elles vont aux toilettes.

Lorsque les contractions surviennent à un rythme régulier, environ toutes les 5 à 7 minutes depuis une demi-heure, et qu'elles deviennent désagréables pour la femme, il est temps de partir pour la maternité. Pensez à emporter les valises préparées pour votre compagne et votre

Partagez vos inquiétudes !

Si vous avez des inquiétudes concernant la grossesse de votre compagne et l'accouchement, n'hésitez pas à en parler avec des hommes et des femmes qui ont vécu cette expérience avant vous, même avec vos propres parents. Vous parviendrez ainsi à dissiper vos craintes et vous envisagerez ces événements avec davantage de confiance et de sérénité.

Recueillez dans votre entourage les témoignages de femmes, quel que soit leur âge, sur la manière dont elles ont géré la douleur de l'accouchement. Rien ne vaut la transmission des savoir-faire et des expériences personnelles de génération en génération.

Discutez ouvertement avec votre compagne de la question de la douleur, de l'idée qu'elle s'en fait et des possibilités qui existent pour l'alléger. L'échange est libérateur, il permet de lever bien des doutes et des inquiétudes.

bébé, et prenez le chemin de la maternité dans votre voiture ou en taxi. Si votre compagne accouche à domicile, appelez la sage-femme. Elle se renseignera sur l'intensité et la fréquence des contractions, et elle viendra vous rejoindre.

L'accouchement en quatre étapes

Si l'accouchement est un acte naturel, il reste techniquement l'affaire des médecins et des sages-femmes. En connaître les grandes étapes vous aidera certainement à appréhender cet événement avec moins d'inquiétude, mais vous devez prendre soin de rester à votre place, à côté de votre compagne. C'est d'ailleurs là que vous pouvez le mieux la soutenir, l'accompagner et la rassurer. Le stress augmente la douleur : soyez calme et faites tout ce que vous pouvez pour que votre compagne le soit aussi.

La dilatation

Durant cette étape, le col de l'utérus doit se dilater d'une dizaine de centimètres, de manière à laisser suffisamment de place pour le passage de la tête du bébé. Cette étape peut durer entre 1 et 10 heures, voire davantage. La dilatation s'accompagne de contractions qui se rapprochent et s'intensifient progressivement. Pendant ce temps, aidez votre compagne à se détendre et à adopter la respiration qui convient pour accompagner les contractions.

Pendant la dernière phase de la dilatation, si la tête du bébé est déjà engagée profondément, il est possible que votre compagne ressente le besoin de pousser. Mais elle doit se retenir jusqu'à ce que le col de l'utérus soit complètement dilaté. Elle doit alors respirer selon les indications qui lui ont été données pendant les cours de préparation à l'accouchement.

Pendant cette phase du travail, certaines femmes se découragent, elles ont l'impression qu'elles n'arriveront jamais à mettre leur enfant au monde. Votre soutien est alors particulièrement précieux pour votre compagne : rassurez-la, encouragez-la, aidez-la à se détendre et à respirer comme il convient.

L'expulsion

À ce stade, la tête du bébé appuie sur les muscles du périnée et votre compagne ressent une envie irrésistible de pousser. Elle va alors participer activement à la naissance de votre enfant en suivant les consignes du médecin ou de la sage-femme. Elle déploie toute sa force en adoptant la respiration appropriée, mais en poussant aussi des cris et des gémissements. Ceux-ci ne sont en aucun cas des manifestations de faiblesse ou d'impuissance. Au contraire, ils aident la maman à pousser et sont l'expression de l'énergie phénoménale avec laquelle elle met son enfant au monde. Pendant cette étape du travail, beaucoup de femmes apprécient la position debout, accroupie ou encore assise sur un tabouret d'accouchement : suggérez éventuellement différentes positions à votre compagne.

Votre enfant est né !

Le bébé doit être accueilli dans une serviette chaude. Il peut être posé aussitôt contre la poitrine de sa maman ou contre vous. Touchez, caressez votre enfant. Profitez de ces instants magiques que sont les premières minutes suivant la naissance de votre enfant en donnant libre cours à vos émotions.

Il est possible que peu de temps après, le bébé esquisse quelques mouvements de bouche. C'est alors le moment pour votre compagne de l'inviter à prendre le sein. Demandez éventuellement à la sage-femme de l'assister en restant à ses côtés.

La délivrance

Lorsque votre compagne et vous-même tenez votre bébé dans vos bras, l'accouchement n'est pas encore tout à fait terminé. Dans les minutes qui suivent l'expulsion du bébé, sa maman ressent encore quelques contractions, mais beaucoup moins intenses que celles qui les ont précédées. Elles ont pour résultat de décoller le placenta qui adhérait à l'utérus.

La succion favorise l'expulsion du placenta, car en tétant, le nouveau-né participe à la formation de l'hormone de l'allaitement, l'ocytocine. Celle-ci aide l'utérus à se rétracter et contribue aux contractions qui permettent l'expulsion du placenta. Souvent, la sage-femme participe à la délivrance en appuyant légèrement sur le bas-ventre. Une fois le placenta expulsé, elle vérifie qu'il n'en reste aucune trace.

Votre rôle pendant l'accouchement

La plupart des femmes qui accouchent apprécient énormément que leur compagnon partage avec elles ce moment exceptionnel. C'est en tout cas ce qu'elles rapportent après la naissance, prétendant même parfois que l'aide de leur compagnon leur a été plus précieuse que celle de la sage-femme ou du médecin ! Par votre présence, vous apportez avant tout un soutien moral à votre compagne.

Mais aucune naissance ne ressemble à une autre. Et selon la contribution que sollicite votre compagne, votre rôle peut revêtir des formes variées.

Coach...

Si vous souhaitez participer activement à l'accouchement, prendre des initiatives, il est possible que vous ressentiez une certaine frustration en pensant que vous n'êtes pas véritablement utile.

Pourtant, vous pouvez l'être en aidant votre compagne à respirer au rythme des contractions, comme elle a appris à le faire pendant les séances de préparation. Encouragez-la en lui disant, par exemple, que les contractions font descendre le bébé.

...ou médiateur

Il se peut qu'à un stade ou à un autre du travail, votre compagne soit à bout de forces. Vous pourrez alors servir d'intermédiaire entre elle et le personnel médical.

C'est pendant les contractions que le travail est le plus intense et qu'il sollicite le plus l'énergie de la femme. Connaissant votre compagne mieux que quiconque, vous savez ce qui peut l'aider, quels peuvent être ses besoins et ses envies. Ainsi, vous pouvez la relayer auprès de la sage-femme ou du médecin pour les transmettre. À l'inverse, vous pouvez répéter les suggestions et consignes de ces derniers pour que votre compagne les comprenne clairement et les exécute bien. Vous faciliterez ainsi le déroulement du travail.

En revanche, il n'est pas judicieux de prendre certaines initiatives, comme d'insister pour qu'elle adopte une position que vous avez essayée ensemble. Évitez aussi de demander combien de temps va encore durer le travail ; ce serait un manque de délicatesse envers votre compagne, qui est déjà suffisamment inquiète et fatiguée. Enfin, laissez le caméscope à la maison pour ne pas gêner le déroulement de l'accouchement. Pour la femme en pleine action et concentration, le fait de se sentir observée en permanence peut être perturbant.

Comment aider votre compagne

Pendant le travail, qui représente souvent une épreuve pour la femme, votre compagne appréciera votre aide si vous savez vous adapter à ses besoins. Vous pouvez lui apporter votre soutien et votre réconfort de diverses manières :

- Encouragez-la à poursuivre ses efforts en la complimentant : « C'est bien, continue ! Quelle force ! Super ! »
- Prenez ses mains dans les vôtres.
- Remettez-lui en mémoire les exercices qu'elle a appris pendant les séances de préparation à l'accouchement ; aidez-la à accompagner les contractions par la respiration qui convient.
- Tenez-la, soutenez-la ; assistez-la physiquement d'une manière ou d'une autre pour faire contrepoids.
- Entre les contractions, massez-lui le bas du dos (après lui avoir demandé si elle le souhaite).
- Rafraîchissez son visage avec un brumisateur ou un gant humide.

Soyez compréhensif

Quelle que soit la forme que prend votre participation à l'accouchement, votre présence sera rassurante pour votre compagne et elle lui permettra de mieux supporter l'épreuve.

Ne vous attendez toutefois pas à ce que votre compagne manifeste sur-le-champ sa reconnaissance à votre égard. Le travail mobilise toute son énergie, autant sur le plan physique qu'émotionnel. Mais nul doute qu'elle se souviendra des marques d'attention

Les papas cachés

Caméra sur l'épaule, certains pères n'assistent à la naissance de leur enfant qu'à travers un viseur… Quel que soit votre choix sur ce sujet, cette démarche ne peut se faire sans discussion préalable.

- La première personne avec qui en parler est votre compagne : êtes-vous bien sûr qu'elle ait envie que soient conservées des images de son corps dilaté et déformé, de sa douleur et de ses difficultés.
- L'équipe médicale peut aussi ne pas vouloir que vous filmiez l'accouchement.
- Enfin, demandez-vous sincèrement si cet événement si intime entre vous et votre compagne a besoin d'être enregistré. Pensez-vous que les images sauront rendre l'émotion puissante de cet instant ?

Lutter contre la douleur

Quelques gestes et techniques, ainsi qu'une atmosphère rassurante sont importants; les médecines alternatives peuvent aussi jouer leur rôle.

Des gestes simples : exercices de détente et de respiration, chaleur (bouillotte, par exemple), bain chaud, chant prénatal, yoga, sophrologie.

Une atmosphère rassurante : ambiance calme, lumière tamisée, présence d'une personne proche, rassurante, climat de sérénité entre les futurs parents, relation de confiance avec le personnel, absence de perturbations dues au changement du personnel.

Médecines alternatives : aromathérapie, tisanes à base de plantes, fleurs de Bach, massages, acupuncture, homéopathie.

que vous lui prodiguerez. Et même si elle ne réagit pas à vos suggestions comme vous l'attendez, ne vous sentez pas offensé. Essayez plutôt de savoir ce qu'elle souhaiterait à la place.

La naissance de votre enfant est un événement exceptionnel pour vous et votre compagne. Même si habituellement vos relations de couple sont satisfaisantes, il n'est pas exclu que pendant l'accouchement, votre compagne (ou même le personnel soignant) ait des mots désagréables ou des réactions violentes. Soyez compréhensif: elle est inquiète et fatiguée. Ne lui en tenez pas rigueur!

Quand la médecine intervient

Les futurs pères sont souvent partagés par rapport au matériel technique dont sont équipées les salles de naissance. D'un côté, ils se sentent rassurés à l'idée qu'il peut être utile pour le suivi de l'accouchement et en cas de complications. Mais il arrive aussi que la vue des appareils les impressionne, créant une sensation d'oppression qui peut être angoissante.

Pour vous familiariser avec les moyens techniques que vous pourrez rencontrer dans les salles de naissance (visibles ou cachés, selon les endroits), vous trouverez ci-dessous la liste des plus courants.

Des moyens techniques

- Le monitoring, appareil électronique, enregistre les battements du cœur du bébé et les contractions utérines (leur intensité, leur durée, leur rythme) au moyen de deux capteurs posés sur le ventre de la mère. La comparaison des deux courbes qui apparaissent sur la bande graphique permet d'évaluer le comportement du bébé *in utero*. Ainsi peut-on vérifier la bonne adaptation du bébé aux contractions et déceler une éventuelle souffrance fœtale. L'appareil peut être branché en continu ou de manière intermittente, selon le stade du travail et les habitudes de la maternité. Certaines disposent de monitorings ambulatoires, qui permettent aux femmes de garder leur mobilité, tout en étant sous contrôle.

- Un appareil permet d'effectuer un prélèvement sanguin dans le cuir chevelu du fœtus. Il livre des renseignements sur certaines constantes du sang fœtal comme la pression des gaz ou l'acidité.
- L'appareil à perfusions permet d'administrer des médicaments destinés à renforcer les contractions lorsqu'elles diminuent d'intensité, à les diminuer lorsqu'elles sont trop fortes.
- L'appareil à tension permet de surveiller la tension artérielle de la femme qui accouche. Cette surveillance est plus ou moins fréquente selon la sensibilité de la future mère, l'expérience et les habitudes du personnel soignant. Lorsque la tension augmente subitement, on peut la faire baisser avec des médicaments.

Pallier la douleur

Beaucoup de médecins et de sages-femmes pensent que dans le cas d'accouchements sans complications particulières, on peut renoncer aux moyens destinés à apaiser la douleur. Une femme bien préparée, en bonne santé tant physique que psychique, n'en a généralement pas besoin. Toutefois, lorsque le travail se prolonge, que la femme se sent fatiguée et affaiblie, ils peuvent s'avérer utiles.

Prenez le temps de vous informer avant l'accouchement sur les possibilités qui existent pour soulager la douleur. Sachez toutefois que le déroulement de l'accouchement pourra imposer d'autres décisions ou interventions.

Si votre compagne souhaite prendre des médicaments contre la douleur, c'est possible. Antispasmodiques, calmants et analgésiques peuvent lui être prescrits. Attention cependant aux effets secondaires : les calmants peuvent provoquer une somnolence du bébé après la naissance, entraînant une difficulté à prendre le sein ; les analgésiques peuvent perturber la circulation sanguine de la mère.

La péridurale

Plus de la moitié des femmes accouchent actuellement sous analgésie péridurale, généralement à leur demande. Bien que de plus en plus répandue, cette pratique continue de faire l'objet de nombreuses controverses. Quels sont les arguments pour et contre cette technique destinée à alléger la douleur ?

Selon les médecins accoucheurs, l'analgésie péridurale peut offrir un réel soulagement lors d'un accouchement long et difficile.

Principal avantage de la péridurale, la femme reste pleinement consciente. Sa conscience est beaucoup plus aiguë que lorsqu'elle est sous l'effet de médicaments antidouleur à base de morphine. En cas de nécessité, le dosage de la péridurale peut être renforcé pour pratiquer une césarienne : la douleur sera épargnée à la parturiente, sans qu'il y ait perte de conscience.

L'un des inconvénients de la péridurale est que la femme n'a pas le sentiment de participer activement, physiquement et mentalement, à la naissance de son enfant. Lorsque la péridurale est fortement dosée, elle sent à peine les contractions. Elle ne se rend pas toujours compte à quel moment elle met son enfant au monde. Selon les témoignages de nombreuses femmes, l'accouchement sous péridurale est une expérience moins intense, qui laisse des traces diffuses dans la mémoire, parfois même des regrets. Parmi les effets secondaires qu'elle peut entraîner, figurent des migraines importantes, pouvant persister jusqu'à deux ou trois jours après l'accouchement.

Les avis des futurs pères divergent quant à la péridurale. Certains la conseillent à leur compagne, car ils ne veulent pas la voir souffrir. D'autres la déconseillent, parce qu'ils sont partisans d'une naissance naturelle, à laquelle ils souhaitent eux aussi participer activement.

Le choix de la péridurale reste très personnel. Informez-vous au préalable, discutez-en avec votre compagne en pesant le pour et le contre. Ne cherchez pas obligatoirement à prendre une décision ferme et définitive sur cette question avant l'accouchement. Vous pourrez toujours changer d'avis le moment venu, en accord avec le médecin et la sage-femme.

Quand l'inquiétude domine

La péridurale est une anesthésie locale : on injecte entre deux vertèbres lombaires un produit anesthésique qui se répand autour de la moelle épinière et qui agit sur les nerfs qui en partent, notamment ceux de l'utérus et du vagin, atténuant ainsi considérablement la douleur des contractions. Le recours de plus en plus fréquent à la péridurale et à d'autres traitements antidouleur montre clairement que la peur de la douleur est de plus en plus présente chez les femmes enceintes. Par ailleurs, il est tout à fait compréhensible que pendant la grossesse et avant l'accouchement, les futurs pères et mères s'inquiètent pour la santé de leur enfant. Pour voir les choses sous un angle positif, le suivi prénatal n'a d'autre but que de protéger au maximum le fœtus, de dépister d'éventuelles anomalies, de les traiter à temps et de manière adéquate.

Néanmoins, chez beaucoup de futurs parents, cette surveillance prénatale engendre également des inquiétudes : les risques et les dangers semblent indissociables de la grossesse et de l'accouchement. Les parents redoutent des anomalies, des malformations pour leur enfant et des complications au moment de l'accouchement.

Les sages-femmes et les médecins accoucheurs constatent que les futurs parents écoutent de moins en moins leur intuition et leurs sentiments. La confiance en soi, dans le domaine de la grossesse et de l'accouchement, se perd progressivement. Pourtant, les femmes mettent des enfants au monde depuis la nuit des temps, et les accouchements n'ont jamais été aussi sécurisés qu'aujourd'hui. Les accouchements à domicile demeurent minoritaires. La naissance, événement on ne peut plus naturel, est de plus en plus source d'angoisse. Pour remédier à ce sentiment d'insécurité et d'inquiétude, rien de tel que d'échanger avec des hommes et des femmes qui ont vécu cette expérience avant vous.

La césarienne

Actuellement, dans les pays européens, près d'un tiers des bébés viennent au monde par césarienne. Ce taux n'a cessé de croître au cours des deux dernières décennies, suivant une tendance venue des États-Unis où, dans le même temps, le nombre des césariennes ne cessait de diminuer. Les obstétriciens s'attendent donc à ce que la tendance s'inverse prochainement en Europe.

La césarienne programmée médicalement

Une césarienne est généralement programmée pour des raisons médicales, les principales étant les suivantes :

- une position du fœtus dans l'utérus qui compliquerait l'accouchement par voie basse (présentation transversale, ou par le siège si le bassin maternel est trop étroit) ;
- un recouvrement du col de l'utérus par le placenta (« placenta praevia ») ;
- la mère a déjà subi une ou plusieurs césariennes ;
- dans le cas d'une naissance multiple, à partir de triplés.

La césarienne pour convenance personnelle

Il peut arriver qu'une césarienne soit pratiquée pour des raisons non médicales, pour convenance personnelle, à la demande de la future mère. Le motif le plus fréquent est une peur diffuse de l'accouchement par voie basse. Certaines femmes craignent aussi que leur bassin soit trop sollicité. Pour d'autres enfin, la fonction du vagin doit se limiter aux relations sexuelles : elles pensent qu'un accouchement par voie basse risquerait de l'endommager, de le dévaloriser ou de trop l'élargir.

D'un point de vue strictement médical, ces appréhensions ou ces idées ne justifient nullement la pratique d'une césarienne. Toutefois, les médecins et sages-femmes ne veulent pas s'opposer systématiquement aux demandes des futurs parents. Ils souhaitent leur laisser une marge de décision.

Si votre compagne et vous-même envisagez une césarienne pour convenance personnelle, n'oubliez pas qu'il s'agit ni plus ni moins d'une intervention chirurgicale, avec tous les risques qui y sont associés. Pour pratiquer une césarienne, le chirurgien incise la peau, il écarte les muscles abdominaux et ouvre l'utérus afin d'en extraire le bébé.

La mémoire de la naissance

Il n'est pas rare que les femmes se sentent très déprimées suite à une césarienne effectuée sous anesthésie générale. En effet, n'ayant pas vécu consciemment la naissance de leur enfant, elles peuvent éprouver un sentiment de frustration, avoir l'impression d'avoir raté cet événement important. Dans ce cas, vous avez un rôle important à jouer, à condition bien entendu que vous ayez pu être présent pendant l'opération. Vous deviendrez la mémoire de la naissance de votre enfant, que vous lui raconterez en détail, autant de fois qu'elle le souhaitera. Vous l'aiderez ainsi à juguler son sentiment de frustration, sa déception s'il s'agit d'une césarienne en urgence.

Il referme ensuite l'utérus, les muscles et la peau. Il s'agit d'une opération à part entière, même si les techniques récentes permettent de déchirer certains muscles avec les doigts plutôt que d'utiliser le scalpel, rendant ainsi les suites opératoires moins difficiles pour la mère.

Une césarienne induit un risque de complications nettement plus élevé qu'un accouchement par voie basse. En outre, lors d'une césarienne programmée, la mère n'a aucune contraction. L'importance des contractions pour l'enfant (activation de la circulation sanguine, respiration, métabolisme) est trop souvent sous-estimée, de même que les douleurs cicatricielles pour la mère après la césarienne, ainsi que les difficultés à allaiter et à établir le premier contact avec le bébé.

La césarienne en urgence

Elle est généralement pratiquée lorsque des complications apparaissent au cours d'un accouchement par voie basse et que ces complications sont à l'origine d'une souffrance fœtale ou risquent de menacer la vie du bébé ou de sa mère.

Il y a principalement deux raisons imposant une césarienne en urgence pendant le déroulement d'un accouchement normal.

- Les contractions deviennent trop faibles ou elles s'arrêtent complètement. La mère est épuisée, la progression du bébé stoppée. Il est placé encore trop haut dans le bassin pour envisager l'emploi du forceps ou d'une ventouse (appelée aussi *vacuum extractor*), ou le col de l'utérus n'est pas encore suffisamment dilaté.
- Le rythme cardiaque du bébé, enregistré au moyen du monitoring, présente des irrégularités laissant supposer qu'il n'est pas suffisamment oxygéné. Dans un tel cas de figure, une césarienne peut s'imposer d'urgence pour protéger sa santé, voire lui sauver la vie.

Demandez à être présent

Autant la césarienne programmée que la césarienne en urgence peuvent être pratiquées sous anesthésie locale (par analgésie péridurale) ou sous anesthésie générale.

Dans les deux cas, il est important que vous soyez présent, exactement comme pour un accouchement par voie naturelle. Pour votre enfant, pour votre compagne, et bien sûr pour vous-même !

Normalement, rien ne s'oppose à la présence du père dans la salle d'opération, tant du point de vue médical que de la logistique, que la césarienne soit effectuée sous anesthésie locale ou générale. Au contraire : autant pour la mère que pour le bébé, la présence du père est alors particulièrement importante. Pourtant, notamment dans le cas de césariennes sous anesthésie générale, on lui enjoint souvent de quitter la salle d'opération. Vous pouvez alors demander quelles raisons justifient une telle décision et tenter d'argumenter. Mais renseignez-vous de préférence avant l'opération pour savoir si vous pourrez assister à la césarienne.

Ce que vous pouvez faire

Dans le cas d'une césarienne pratiquée sous anesthésie locale, vous pouvez tenir la main de votre compagne et l'encourager. Vous dédramatiserez ainsi l'événement. Ne craignez pas d'être obligé de voir ce qui se passe (scalpel, sang, sutures), car vous serez derrière le champ opératoire. À partir de la poitrine, la femme est recouverte d'un drap qui cache le bas de son corps. En revanche, vous entendrez les bruits qui accompagnent le déroulement de l'opération.

Si la césarienne est pratiquée sous anesthésie générale, votre présence est également souhaitable afin de pouvoir raconter ensuite à votre compagne la naissance de votre enfant et d'accueillir celui-ci aussitôt. Vous endosserez alors la paternité plus rapidement et de manière plus intense : vous serez le premier à prendre votre bébé dans vos bras, vous relaierez la maman immobilisée pendant ce moment unique.

Lorsque votre bébé a été ausculté, et si son état de santé est jugé satisfaisant, posez-le contre votre poitrine nue. Vous lui apporterez votre chaleur et votre réconfort. Vous établirez ainsi un contact immédiat avec lui. Plus vous prolongerez ce moment privilégié, plus cet échange sera bénéfique.

Une naissance difficile

Il arrive que l'accouchement ne se déroule pas tout à fait comme les futurs parents l'avaient espéré ou imaginé. Différents cas de figure peuvent se présenter :

- l'accouchement traîne en longueur et devient très douloureux ;
- le bébé est prématuré ;
- le recours au forceps ou à la ventouse est nécessaire pour le mettre au monde ;
- la vie du bébé est menacée (par manque d'oxygène ou pour d'autres raisons) ;
- une césarienne s'impose.

Lorsque des complications qu'ils n'avaient pas envisagées surgissent au moment de l'accouchement, les futurs pères et mères ont généralement une réaction de peur, parfois même de panique. Rien de plus compréhensible lorsque l'accoucheur annonce brutalement dans la salle de naissance : « Il va falloir faire une césarienne ! »

Dans une situation de ce genre, totalement imprévue, le dialogue est soudain rompu entre le personnel médical et les parents. Ceux-ci peuvent alors être envahis par un sentiment d'impuissance et d'angoisse. Dans le cas d'une césarienne décidée en urgence, ils doivent quitter subitement l'atmosphère relativement calme de la salle de

Le pouvoir de la parole

Des situations très difficiles peuvent survenir, auxquelles vous n'étiez pas préparés, ni vous ni votre compagne. Le principal est que vous puissiez en parler. Les hommes pensent souvent qu'ils doivent être forts lorsque leur compagne va mal. Ils n'osent pas exprimer leur chagrin, leurs inquiétudes, leur faiblesse. Pourtant, la femme se sent généralement mieux quand elle sait que son compagnon a le même vécu qu'elle.

Tous les parents n'ont pas besoin, dans une situation de ce genre, de l'aide psychologique d'un thérapeute. Mais ce n'est ni un aveu de faiblesse ni un échec que de faire appel à ce type de soutien.

naissance pour celle, plus stressante, de la salle d'opération : les membres de l'équipe s'affairent pour préparer l'intervention et communiquent entre eux dans un jargon incompréhensible pour le néophyte. Les futurs parents ont alors l'impression qu'il en va de la vie de leur bébé, ce qui est rarement le cas.

Maintenez le dialogue

Si la situation vous paraît grave, si vous vous sentez dépassé par les événements, efforcez-vous de rétablir le dialogue avec le personnel médical pour obtenir des informations précises. Demandez aux médecins ou aux sages-femmes ce qui se passe exactement et ce qu'ils envisagent de faire. Dans la mesure du possible, essayez bien sûr de garder votre sang-froid. Transmettez à votre compagne les renseignements que vous avez obtenus, le plus calmement possible, pour la rassurer. Le plus souvent, vous parviendrez ainsi l'un et l'autre à dominer votre sentiment de peur ou de panique.

Dans certains cas néanmoins, il est difficile d'obtenir les informations nécessaires, ou bien elles ne vous aident pas à retrouver le calme. Il n'existe malheureusement pas de recette toute prête pour faire face à ce type de situation. Il est important et normal que dans ce contexte, vous réagissiez, même violemment (cette violence est souvent préférable à un état de commotion). Beaucoup d'hommes racontent qu'ils sont devenus agressifs et qu'ils ont été effrayés par leurs propres explosions de colère. Mais lorsque les psychologues leur ont dit ensuite que d'autres hommes et femmes réagissaient de la même manière, ils étaient généralement soulagés.

Les premières minutes avec votre bébé

Votre bébé est arrivé au monde. Il est posé sur la poitrine de sa maman, ou vous le tenez vous-même contre la vôtre. Vous avez toutes les raisons d'être heureux et vous pouvez exprimer votre joie à votre guise. Chaque père vit à sa manière ce grand moment où il accueille son bébé.

Les premières minutes avec votre bébé sont très importantes. Vous établissez le contact, physiquement et émotionnellement, avec ce petit être qui vous apparaît soudain en chair et en os.

Peut-être êtes-vous quelque peu surpris de son apparence, qui ne correspond pas tout à fait à l'image que vous vous étiez faite de votre bébé : un nouveau-né est souvent plus fripé et plus rouge que ce que l'on imagine, ou plus petit. Mais pour vous, comme pour tous les pères et mères, votre bébé est sans doute le plus beau du monde.

Les psychologues du développement appellent « attachement » (*bonding* en

La naissance sans violence

L'importance du contact peau à peau entre le nouveau-né et ses parents a été soulignée par le docteur Frédéric Leboyer dans sa méthode, la « naissance sans violence », élaborée dans les années 1970. En réaction contre la médicalisation excessive de la naissance à cette époque, il prônait la douceur de l'accueil, autant dans les gestes que dans l'atmosphère, pour aider le nouveau-né à entrer dans le monde avec davantage de sérénité.

anglais) le lien profond qui s'instaure entre le bébé et ses parents au cours des premières minutes qui suivent la naissance. Pour que vous puissiez vivre ces instants privilégiés dans toute leur intensité, l'idéal est que le personnel soignant s'efface et vous laisse seuls – enfant, mère et père. L'atmosphère de la salle de naissance doit être sereine, la luminosité faible et le bruit réduit au minimum.

Le nouveau-né ne devrait être lavé, pesé et habillé qu'après ce moment unique à trois dans le calme. Pensez à le prévoir avant la naissance, à le négocier éventuellement avec la sage-femme et le médecin.

Votre naissance comme père

Avec la naissance de votre enfant, vous endossez une nouvelle identité : celle de père. C'est maintenant que la paternité commence réellement pour vous, avec les responsabilités qu'elle induit, la prise en charge de nombreuses tâches, mais aussi les joies incomparables qu'elle procure !

Si vous la vivez pleinement, la paternité peut s'avérer un énorme enrichissement pour vous. Pouvoir transmettre la vie, avoir la possibilité d'accompagner et d'aider un petit être humain dans sa croissance et, avec lui, de retomber en enfance à chaque instant ; telles sont les perspectives prometteuses qui vous attendent. Même si parfois la fatigue ne vous sera pas épargnée.

La paternité peut être une merveilleuse source d'épanouissement.

En cas de complications

Au cas où vous ne pourriez pas vivre ce moment magique, rassurez-vous : ce lien intime avec votre enfant ne se limite pas aux minutes qui suivent la naissance, même si l'idéal est que vous soyez près de lui dès son arrivée au monde pour recueillir les premières impressions. Il se peut que votre bébé ne puisse pas être avec vous parce que son état de santé nécessite des soins particuliers. Il arrive également que sa maman, épuisée par l'effort, ne soit pas en mesure de le prendre avec elle. Dans ce cas, vous aurez un rôle important à jouer : c'est vous qui vous occuperez du bébé pendant qu'elle se reposera.

Si dès les premiers instants après sa naissance, vous n'avez pas la possibilité d'établir ce contact avec votre enfant dans la sérénité, inutile de vous inquiéter : la qualité de votre relation n'en sera nullement compromise. Au cours des jours et des semaines qui suivront, vous aurez tout le loisir d'apprendre à vous connaître, de nouer un lien profond. Il suffira de prendre le temps pour cela.

Les premiers mois

Événement unique, hors du commun, la naissance de votre bébé n'est cependant qu'un bref épisode dans votre vie si l'on considère tous les changements qu'elle va entraîner pour vous. Les conseils donnés dans les pages qui suivent ont pour but de vous aider à savourer ces premiers temps avec votre enfant, malgré les bouleversements que provoque son arrivée dans votre quotidien.

Entre inquiétude et joie extrême, les premiers pas du nouveau papa avec son tout-petit.

Une nouvelle vie

Votre compagne, votre enfant et vous-même venez tous de vivre un épisode aussi émouvant qu'éprouvant, comportant même une part de risque, malgré toute la sécurité qu'offre aujourd'hui la médecine. Une fois l'épreuve passée, il ne s'agit pas seulement de récupérer physiquement. Il faut affronter un nouveau défi : la vie de famille.

Acceptez que tout change

Vous voici de nouveau sollicité. Comment vous sentez-vous dans votre peau de père? Suels changements signifient pour vous la naissance de votre enfant? Quelles satisfactions vous apporte-t-elle? Mais aussi quelles peuvent être vos frustrations?

Sans doute avez-vous déjà entendu dire des milliers de fois que l'arrivée du premier enfant bouleverse complètement la vie de ses parents. Mais qu'est-ce qui change réellement? Les jeunes parents constatent souvent que rien ne se déroule comme ils l'avaient imaginé. C'est pourquoi nous vous invitons à vous préparer aux changements qui vous attendent dans votre nouvelle vie de père.

Des chances et du bonheur à saisir

La naissance de votre enfant consacre le début d'un nouvel épisode de votre vie. Vous tenez dans vos bras un petit être avec lequel vous allez être intimement lié pour le reste de vos jours. Vous voici désormais face à des responsabilités nouvelles et importantes, mais qui vous apporteront joie, affection et tendresse...

La paternité peut être une grande source d'épanouissement pour un homme. C'est très valorisant de savoir que votre enfant a besoin de vous, que vous êtes pour lui l'une des personnes les plus importantes au monde, que vous pouvez lui transmettre vos valeurs et vos idéaux. Les contraintes et les concessions avec lesquelles vous allez devoir composer seront largement compensées par le bonheur d'accompagner le développement de cet être fragile, de l'aider à grandir. Une croissance qui s'effectue à un rythme effréné pendant la première année (voir pages 82-83). Attendez-vous néanmoins à vivre des moments de doute, à vous sentir surmené. Les débuts avec le premier enfant comptent souvent parmi les épisodes les plus éprouvants de la vie.

De nouvelles responsabilités

Une fois votre enfant arrivé au monde, vous devenez responsable d'un être humain dont la vie dépend entièrement des soins et de la sollicitude que vous voudrez bien lui dispenser. C'est précisément là que se situe pour beaucoup d'hommes le principal changement, mais aussi la principale difficulté.

Jusqu'à présent, votre compagne et vous aviez sans doute pu vous consacrer beaucoup de temps mutuellement, malgré vos obligations professionnelles ou sociales, et les aléas du quotidien. Désormais, ce petit être qui fait irruption dans votre vie va devenir le centre de vos préoccupations. Vous allez devoir l'aider à trouver sa voie dans la vie et l'accompagner du mieux que vous pourrez sur une bonne partie de ce parcours.

C'est une merveilleuse aventure, mais elle exige aussi une grande disponibilité de temps, impose des concessions et implique de la fatigue.

Soyez conscient des difficultés

Notre objectif est de vous avertir des difficultés qui vous attendent et de vous préparer à les affronter. Ces questions ne sont généralement pas abordées dans les séances de préparation à l'accouchement, ni au cours des consultations chez les médecins. Avant la naissance, la plupart des couples imaginent les premières semaines avec leur enfant comme une période bénie. Or, vous devez savoir que vous allez être très sollicité en tant que père. Et que vos besoins personnels, en tant qu'homme et compagnon d'une femme, risquent d'en souffrir.

Même préparé, il n'est pas toujours facile de faire face à une situation entièrement nouvelle, mais consolez-vous: ça ne dure pas! Riche de nombreux bonheurs, la première année est aussi la plus difficile. Ensuite, vous prenez de l'assurance, et vous êtes largement récompensé de vos efforts!

De la vie de couple à la vie de parents

La vie du couple est souvent très affectée par l'arrivée du premier enfant et les chamboulements qu'elle provoque dans le quotidien. Lorsque l'homme et la femme deviennent parents, leur relation, à l'origine de la nouvelle famille, est reléguée au second plan dans la liste des priorités. Et il est important de savoir ce qui va changer dans votre vie de couple.

Afin que, devenus parents, vous ne perdiez pas de vue votre relation de couple, nous vous donnons quelques

Les premiers mois

Au quotidien, beaucoup de choses vont changer; vous allez devoir vivre avec de nouvelles contraintes, qui peuvent sembler sans importance mais dont il faut tenir compte:

- supporter les nuits blanches;
- calmer votre enfant, lorsqu'il a des coliques, en faisant les cent pas avec lui dans l'appartement;
- craindre de ne pas savoir le tenir correctement;
- avoir peur qu'il arrête subitement de respirer la nuit;
- devoir vous changer plusieurs fois par jour, parce que votre bébé a eu des renvois, parfois juste avant un rendez-vous important, alors que vous êtes déjà en retard;
- oublier la date à laquelle vous avez eu vos derniers rapports avec votre compagne;
- ne plus sortir si souvent ni voir aussi librement tous vos copains.

conseils à partir de la page 96. Car si les enfants se construisent avec l'amour que leurs parents leur portent, ils ont aussi besoin que ces derniers soient heureux dans leur couple et qu'ils restent ensemble.

Ce qui change dans le couple

- Vous aurez moins de temps à vous consacrer l'un à l'autre.
- Lorsque vous parviendrez à vous libérer, vous serez souvent épuisés.
- Votre principal sujet de conversation sera votre enfant; lui encore le centre de vos préoccupations.
- Vos rapports sexuels seront moins fréquents et vous devrez sans doute apprendre à vivre une sexualité différente.
- Vous serez souvent dérangés dans votre intimité.

Cette liste n'est pas exhaustive. Bien d'autres concessions s'imposent aux nouveaux parents, chaque cas étant particulier. Peut-être votre propre liste sera-t-elle très différente.

Une redistribution des rôles

Dans les couples sans enfants, l'homme et la femme exercent chacun une activité professionnelle et partagent les tâches domestiques.

Avec la naissance du premier enfant, cet équilibre peut se rompre, laissant la place aux schémas traditionnels, qui attribuent au père la prise en charge des besoins matériels de la famille, à la mère les soins des enfants et les tâches domestiques, du moins tant que la maman n'a pas repris son travail.

Hommes et femmes ont tendance à endosser les rôles qu'ils ont vu leurs parents assumer. Mais il existe de nombreuses possibilités pour distribuer les rôles équitablement entre le père et la mère. Ainsi, le congé parental est ouvert à l'un comme à l'autre. Et des solutions toutes simples existent pour concilier famille, travail et loisirs (voir pages 112-117).

La chaîne des générations

Cette chaîne va se trouver grandement modifiée: les fils deviennent des pères; les filles, des mères. Les pères deviennent des grands-pères; les mères, des grands-mères. Mais qu'est-ce qui change véritablement, lorsque vous n'êtes plus seulement un enfant?

Vous assurez la continuité de la chaîne des générations. Vous vieillissez, vous devenez plus mûr, plus responsable, et pensez peut-être à apporter un maximum de sécurité à votre famille, au cas où il vous arriverait quelque chose. Vous et vos parents prenez probablement conscience que votre vie parviendra un jour à son terme, que vous ne faites plus partie des plus jeunes.

Un autre regard sur vos parents

Devenir père, c'est pour vous l'occasion de réfléchir à la relation que vous avez entretenue avec vos parents. En devenant eux-mêmes parents, beaucoup d'enfants comprennent mieux les réactions qu'ont pu avoir leurs propres parents à leur égard. Les inquiétudes font partie intégrante du métier de parent, même si les enfants les supportent parfois difficilement. S'il en va de même pour vous, vos parents se réjouiront sans doute de savoir que vous les comprenez désormais.

Les amitiés évoluent

Les parents constatent souvent que leur cercle d'amis évolue suite à la naissance de leur premier enfant. Ils sont désormais moins disponibles et ils doivent confier leur bébé à quelqu'un quand ils veulent sortir. Leurs centres d'intérêts changent également, souvent dès la grossesse ; ils partagent beaucoup moins de points communs avec leurs amis sans enfants. En contrepartie, les jeunes parents créent des liens par l'intermédiaire des enfants. Des amitiés se tissent dans le cadre des séances de préparation à l'accouchement, entre voisins ou au square, avec d'autres personnes qui partagent les mêmes préoccupations.

Vous relativiserez les problèmes que vous rencontrez au quotidien en constatant que d'autres sont dans le même cas que vous. Vous aussi, en tant que père, pouvez participer à la création de ces nouveaux contacts.

L'arrivée à la maison

La suite de couches est une période de récupération physique pour la mère et l'enfant. Pendant ce temps, vous devez vous adapter progressivement à votre nouvelle vie et organiser le quotidien de votre famille. Cela prendra à peu près autant de temps que les quarante semaines qui ont été nécessaires au développement de votre enfant dans le ventre de sa mère.

Une relation triangulaire

À la naissance, un lien étroit unit la mère et son bébé. Ce dernier a grandi dans son ventre, elle l'a mis au monde et peut désormais le nourrir avec son lait. Les premiers jours que vous passez avec votre enfant à la maison sont d'autant plus importants qu'il a séjourné quelque temps à la maternité avec sa maman et que vous n'avez peut-être pas pu beaucoup rester avec eux. À vous de rattraper le temps perdu ! Ce n'est plus une relation à deux mais à trois que vous vivez désormais.

Consacrez le plus de temps possible à votre enfant et à votre compagne, même si vous êtes largement sollicité par la multitude de tâches qui vous attendent lorsqu'ils sont de retour à la maison. Créez des moments privilégiés à trois (en vous allongeant par exemple ensemble dans le lit) mais occupez-vous aussi seul de votre bébé : promenez-le, changez-le, donnez-lui des bains, bercez-le en le portant sur votre bras. Profitez aussi souvent que possible du contact physique avec votre enfant, en le posant par exemple contre votre poitrine nue. Ne craignez pas de vous immiscer dans la relation qui l'unit à votre compagne. Vous formez désormais une famille et, en tant que père, vous avez un rôle important à y jouer.

Des liens différents

Dès la naissance, le bébé réagit instinctivement : agrippement, sourires, cris, sont autant de signes qui marquent sa relation à ses parents. De cette manière, il cherche à attirer leur attention ou répond à leur sollicitation. De même, il sait faire la différence entre son père et sa mère, qu'il reconnaît à leur odeur, à leur voix, à leurs gestes, etc. Au début, son attachement est souvent davantage porté vers sa mère, surtout si elle l'allaite. Pour que d'autres liens se créent avec le père, il est indispensable que celui-ci prenne aussi en charge des gestes quotidiens : portage, repas, bains, promenades...

Trouvez votre place

N'attendez pas pour créer ce lien avec votre enfant. En affirmant votre présence dans votre nouvelle famille, vous éviterez les frustrations comme la jalousie. Si vous restez à l'écart, vous aurez du mal à assumer votre paternité. Il arrive que le père se considère davantage comme le compagnon d'une femme qui a un enfant dont il se sent responsable, mais avec lequel il n'a pas (encore) de relation intime. Au cours des années qui suivent, réfléchissez de temps en temps à la place qu'occupent votre compagne et votre enfant dans votre famille, et demandez-vous où vous vous situez vous-même.

Organisez le quotidien

Les premières semaines qui suivent la naissance peuvent être éprouvantes. Votre compagne est fatiguée, parfois même déprimée. Vous pouvez vous sentir débordé par votre nouveau rôle, entre la découverte de votre bébé et l'attention à donner à sa maman. Profitez du congé parental auquel vous avez droit pour organiser votre nouvelle vie. Et pour éviter que vos journées à la maison ne soient entièrement occupées par des tâches matérielles, ayez quelques réflexes simples.

- Avant le retour de votre compagne, remplissez les placards et le congélateur. Faites vos courses par Internet et faites-vous livrer à domicile.
- N'ayez pas peur de dire non aux visites trop fréquentes ou trop nombreuses. Vous avez besoin, votre compagne et vous, de moments de repos et d'intimité.
- Si vous en avez les moyens, prenez une femme de ménage qui pourra aussi préparer quelques repas.
- Misez sur la solidarité familiale et les amis. Par exemple, si l'un de vos proches se rend au marché, confiez-lui une liste de produits frais à rapporter. Apprenez aussi, vous et votre compagne, à compter moralement sur vos proches, qui pourront vous aider à relativiser vos inquiétudes ou vous écouter quand vous craquez...
- Ne cherchez pas à être parfait (un peu de désordre n'est pas très grave) et simplifiez-vous la tâche au maximum.

Bien vivre le retour à la maison

- Enregistrez sur votre répondeur tous les renseignements qui concernent l'accouchement et le bébé (taille, poids...). Misez aussi sur le répondeur pour filtrer les appels quand vous avez besoin de calme.
- Si votre compagne tire son lait, rien ne vous empêche de donner le biberon : vous profitez de moments privilégiés avec votre bébé et sa maman a un peu de temps pour elle.
- N'hésitez pas à confier de temps en temps votre bébé à vos parents, beaux-parents et amis. Avec des amis ou amies qui ont un enfant, organisez des gardes à tour de rôle.
- Renseignez-vous sur les possibilités de garde ponctuelles : baby-sitters, filles au pair, etc.
- Faites le point régulièrement avec votre compagne sur le partage du temps. Respectez vos engagements et prévenez par téléphone lorsque vous avez un imprévu. Vous éviterez ainsi le stress, les tensions et les conflits.
- Affichez quelque part dans la maison un tableau récapitulant la répartition des tâches entre vous et votre compagne.

Au bout de quelques semaines, tout ira mieux et le souvenir des premiers jours vous fera sans doute sourire. Mais n'avez-vous pas profité dès les premiers instants de votre bébé et de sa maman ?

Quand la naissance a eu lieu à domicile

Dans le cas d'un accouchement ambulatoire ou à domicile, vous êtes encore davantage sollicité après la naissance en tant que père et compagnon. La maman, affaiblie par l'accouchement, a besoin de votre aide pour de multiples tâches. Pensez aussi à son confort : changez et lavez les draps aussi souvent que possible, faites en sorte qu'elle puisse rester au lit et se reposer, promenez-vous le plus possible avec votre enfant pour vous familiariser l'un avec l'autre et pour que votre compagne puisse récupérer pendant ce temps.

Faites-vous aider

Faites appel aux services d'une sage-femme ! Pendant la suite de couches, votre compagne a le droit à un suivi à domicile par une sage-femme. Il existe différents forfaits qui sont remboursés par la Sécurité sociale. Renseignez-vous auprès de votre caisse d'assurance-maladie.

La sage-femme surveille les suites de l'accouchement pour votre compagne, ainsi que l'état de santé du bébé. En cas de difficultés à allaiter, elle donne des conseils. Elle peut également vous montrer comment baigner votre enfant, le changer, le prendre et le tenir. Son rôle est de vous aider. Une sage-femme expérimentée est toujours prête à répondre aux multiples questions que vous pouvez vous poser lorsque le bébé rentre à la maison avec sa maman.

Il est préférable que vous connaissiez déjà la sage-femme qui se chargera de la suite de couches. Vous pouvez par exemple solliciter celle qui a assuré les séances de préparation à l'accouchement. Renseignez-vous suffisamment tôt. Si elle ne peut pas, cherchez-en une autre, de préférence dès le milieu de la grossesse. Convenez d'un rendez-vous

Une suite de couches sereine

- Préoccupez-vous de trouver une sage-femme avant l'accouchement pour la suite de couches.
- Prenez le plus de congés possible. Si vous êtes salarié, vous avez droit aux 11 jours du congé de paternité, qui s'ajoutent aux 3 jours accordés au père à la naissance.
- Au cas où vous ne pourriez pas prendre de congés, ou peu, sollicitez l'aide de vos amis ou de la famille et évitez les heures supplémentaires au travail.
- Pendant les premières semaines, sachez que vous serez accaparé par les tâches ménagères : lessive, courses, préparation des repas, ménage. Habituez-vous à prendre en charge ces diverses tâches dès la grossesse. Si vous ne pouvez pas les assumer entièrement, faites-vous aider (femme de ménage, famille).
- Votre compagne est fatiguée par la grossesse et l'accouchement. Elle doit pouvoir se reposer pendant six à huit semaines avant de recommencer à assumer les tâches domestiques. Pendant cette période, elle ne doit pas porter de charges supérieures à 5 kg.
- Ne vous laissez pas submerger par les visites. Certaines peuvent attendre. Vous avez le droit au calme et à l'intimité.

avec elle pour faire sa connaissance à l'avance. Vous devez bien sûr prendre ses compétences en considération, mais également vous sentir en confiance avec elle, en tant que père. Une bonne sage-femme doit toujours tenir compte du père et de la santé psychique de la famille.

Les démarches après la naissance

Pendant les semaines qui suivent la naissance, le père ne peut malheureusement pas consacrer tout son temps à sa compagne et à son enfant. De nombreuses démarches vous attendent, certaines pouvant être entreprises avant la naissance.

L'examen néonatal

Quand l'enfant naît dans une maternité, cet examen est effectué sur place ; le bébé est ausculté de la tête aux pieds. Pour une naissance à domicile, l'examen doit avoir lieu dans les 8 jours qui suivent, et c'est à vous de l'organiser. Demandez à un médecin de venir chez vous.

La déclaration de naissance à la mairie

La maternité vous remet un certificat attestant sa naissance. Muni de ce certificat et de votre livret de famille, vous devez alors vous rendre à la mairie de la commune ou de l'arrondissement où a eu lieu l'accouchement pour déclarer la naissance de votre enfant. Cette démarche doit être effectuée dans les 3 jours qui suivent l'accouchement. Les services de la mairie enregistrent la naissance sur votre livret de famille et vous remettent un carnet de santé pour l'enfant.

La déclaration de naissance à la Sécurité sociale

Envoyez à votre caisse d'assurance-maladie le certificat d'accouchement que vous a remis la maternité et le certificat de santé néonatal.

Cette formalité vous permettra de recevoir les indemnités journalières pour le congé de maternité, le remboursement des examens médicaux auxquels l'enfant devra être soumis et celui de l'examen que la maman doit effectuer dans les huit semaines après la naissance.

La Caisse d'allocations familiales

Envoyez à la Caisse d'allocations familiales le certificat qui lui est dû, de manière à pouvoir percevoir les prestations.

La Paje (Prestation d'accueil du jeune enfant) comprend quatre prestations :

- la prime à la naissance ;
- l'allocation de base ;
- le complément de libre choix d'activité ;
- le complément de libre choix du mode de garde.

Une fois la grossesse déclarée, aucune démarche n'est nécessaire pour bénéficier de la prime à la naissance et de l'allocation de base. Mais vous devez vous adresser à la Caf pour bénéficier du complément de libre choix d'activité et du complément de libre choix du mode de garde.

Le complément de libre choix d'activité est versé lorsque vous n'exercez plus d'activité professionnelle ou travaillez à temps partiel pour vous occuper de votre enfant.

Le complément de libre choix du mode de garde est versé pour l'emploi d'une assistante maternelle agréée ou pour une garde à domicile.

Choisir un pédiatre

Pour le suivi médical de votre enfant, vous pouvez vous adresser à votre médecin de famille ou choisir de voir un pédiatre. Préférez une personne disponible, à qui vous pouvez poser des questions sans qu'elle vous donne l'impression que vous la dérangez pour rien. Observez que les premiers contacts avec votre enfant se passent bien. Choisissez-le à proximité de votre domicile car vous pouvez avoir besoin de le faire venir en urgence.

Le carnet de santé

Ce livret qui vous est délivré à la naissance de votre enfant va vous aider à suivre sa santé et son bon développement. Assurez-vous que le pédiatre ou le médecin le complète bien après chaque rendez-vous: carnet de vaccination, notes sur les maladies récurrentes qui permettent de déceler des fragilités (troubles digestifs, allergies, etc.), mesure de taille et de poids, ainsi que toutes les dates importantes de ses apprentissages: premiers pas, premiers mots...

Ce carnet est un document confidentiel. Il doit suivre votre bébé dans ses déplacements: à la crèche ou chez la nourrice, mais aussi quand il est confié pour quelques jours à un proche.

Le congé de paternité

Depuis qu'il est entré en vigueur le 1er janvier 2002, plus de 60 % des pères prennent l'intégralité de leur congé de paternité. Cette pause de 14 jours consécutifs dans leur activité professionnelle (3 jours d'absence autorisée auxquels s'ajoutent 11 jours de congé paternité proprement dit, voire 18 jours en cas de naissance multiple) leur permet de décharger leur compagne de beaucoup de tâches matérielles, mais elle les aide aussi à construire dès les premiers jours un lien très fort avec leur enfant. Ce congé doit être pris dans les 4 mois qui suivent la naissance.

La plupart des pères profitent de cette pause avant la fin du 2e mois, mais des éléments d'ordre professionnel (surcharge de travail, difficultés à se faire remplacer), familial (vacances scolaires s'il y a d'autres enfants) ou financier interfèrent parfois sur le choix de la date.

Le congé parental d'éducation

Si vous-même ou votre compagne souhaitez prendre un congé parental d'éducation, vous devez en faire la demande à votre employeur par lettre recommandée avec accusé de réception au moins un mois avant l'expiration du congé de maternité (voir également pages 114-115).

Les premiers soins

Votre enfant est arrivé à la maison et vous avez enfin la possibilité d'être ensemble, d'échanger des câlins, et de rattraper le retard que vous avez pris par rapport à votre compagne. Mais il ne s'agit pas de vous comparer à la maman de votre enfant. Vous devez plutôt vous épauler !

Père et mère, un tandem efficace

Pour vous impliquer activement en tant que père, une disponibilité de temps est bien sûr nécessaire, mais vous devez aussi saisir les occasions qui vous permettent de vous occuper personnellement de votre enfant.

Pour assumer ces nouvelles tâches, il est important que vous soyez soutenu par votre compagne, ce qui ne signifie pas qu'elle doive se sentir obligée de vous expliquer ce que vous avez à faire dans le moindre détail. De votre côté, inutile de vous efforcer d'être une mère parfaite. Vous devez certes vous préparer à endosser de nouvelles responsabilités, mais votre compagne doit apprendre à les déléguer. Elle ne doit pas se sentir seule responsable de votre enfant, mais vous laisser établir votre propre relation avec lui. Vous pouvez convenir avec elle de lui demander des conseils lorsque vous en avez besoin, plutôt qu'elle vous en donne systématiquement.

Beaucoup de mères sont si étroitement liées à leur enfant qu'elles ont du mal à laisser leur compagnon s'occuper de lui. Elles ne lui font pas suffisamment confiance. Pourtant, si au départ la couche n'est pas ajustée parfaitement, ce n'est pas si grave !

Si votre compagne éprouve des réticences à laisser votre enfant quelques heures, essayez de lui faire comprendre que ce moment sans son bébé peut être bénéfique pour elle. Les premières fois, elle pourra rester à proximité, au cas où vous auriez besoin de son aide. Ainsi, vous habituerez-vous tous les deux à partager les tâches.

Change et bain, jeux et câlins

Rien de tel que les soins quotidiens pour faire connaissance avec votre enfant et trouver votre place dans le triangle bébé-mère-père. Avec un peu d'imagination, vous découvrirez rapidement que les séances routinières de change, toilette, habillage, peuvent

Les PMI

Créées en 1945, les PMI, ou centres de protection maternelle et infantile, assurent gratuitement le suivi des nourrissons : surveillance de la croissance, régime alimentaire, dépistages, vaccins. Mais attention, ils ne dispensent ni soins ni traitements. Si votre enfant est malade, vous devez voir un médecin ou un pédiatre. Les PMI sont aussi des lieux d'accueil et de rencontre pour les parents et leurs enfants.

être des moments d'échange tendres et ludiques.

Avant la naissance déjà, vous pouvez vous familiariser avec les soins du bébé en consultant des livres de puériculture. Le choix ne manque pas!

Une fois bébé arrivé à la maison, entraînez-vous avec votre compagne, qui aura reçu de nombreux conseils à la maternité. Vous pouvez également solliciter les conseils de la sage-femme qui assure le suivi postnatal ou d'une puéricultrice de PMI. Elles vous montreront l'une et l'autre comment baigner votre enfant, le changer et l'habiller dans les règles de l'art. Au bout de quelque temps, vous élaborerez votre propre technique.

Lorsque vous habillez votre enfant, amusez-vous à le chatouiller si vous avez remarqué que ce jeu calme ses pleurs. En inventant vous-même des trucs, vous prendrez confiance en vous et vous vous affirmerez comme père.

Le bain, c'est la fête

Il n'est pas indispensable de baigner votre bébé chaque jour; une toilette complète peut suffire. Mais en prenant votre temps, vous transformerez le bain en un moment de plaisir et de détente pour vous et votre enfant. La salle de bains doit être bien chaude: une température de 26 à 28 °C est idéale. Laissez couler l'eau dans la baignoire à environ 37 °C et allongez-vous dedans avec votre enfant. Ajoutez éventuellement quelques gouttes d'huile d'amande douce. Tenez bien votre enfant. Vous pouvez par exemple le poser sur vos jambes allongées. Profitez de ce corps à corps avec lui au contact de l'eau chaude et lavez-le délicatement. Les bébés apprécient beaucoup l'eau, et le bain est une merveilleuse occasion pour le vôtre de se décontracter, de se déplier. Donnez-lui son bain de préférence le soir, il dormira beaucoup mieux.

L'art de changer bébé

Pensez à préparer tout le matériel avant de commencer en le plaçant à portée de main, afin de ne pas être tenté de lâcher votre enfant une seule seconde. Il peut tomber de la table à langer en roulant sur le côté (même s'il n'en était pas encore capable jusqu'alors). Ne laissez jamais d'objets pointus (ciseaux à ongles) ou de petite taille (bouchons de tubes de crème) sur la table à langer. Il risque de se blesser ou de s'étouffer.

Les préparatifs

Pour changer votre bébé, vous avez besoin du matériel suivant:

- une couche propre;
- un gant et du savon ou du coton et du lait pour bébé (ou encore des lingettes);
- un vêtement de rechange, si la couche a débordé.

Comment procéder

Inutile de déshabiller entièrement votre bébé, il suffit simplement de découvrir la partie inférieure du corps. Les grenouillères avec fermeture à pont dans le dos sont très pratiques.

- Dégagez les jambes du bébé, ouvrez la couche et tenez fermement ses pieds d'une main pour éviter qu'ils touchent à la couche.
- Soulevez ses fesses (image 1) et retirez la couche, en continuant à le tenir d'une main.

- Lavez soigneusement la zone autour des organes génitaux et les fesses – toujours de l'avant vers l'arrière. Vous évitez ainsi de transporter les selles et les bactéries vers les organes génitaux. Nettoyez soigneusement au niveau de l'aine, en écartant les plis de la peau, et chez les filles, les lèvres de la vulve.

- Laissez l'enfant quelques minutes les fesses à l'air pour faire sécher sa peau. Il appréciera ce moment, et vous éviterez ainsi les irritations. En cas de rougeurs, appliquez une pommade antiseptique et cicatrisante. Faites-le systématiquement à titre préventif si votre enfant est enclin à l'érythème fessier.

- Soulevez de nouveau les fesses du bébé, posez une couche propre au-dessous et rabattez les bandes adhésives sans trop serrer.

- Refermez la grenouillère.

Si votre compagne allaite

L'allaitement est la seule tâche que vous, le père, ne pouvez pas prendre en charge après la naissance de votre enfant. Néanmoins, vous pouvez y participer à votre manière en créant un climat de détente qui le facilitera.

Les bienfaits du lait maternel

Tous les parents ont à cœur d'offrir à leur enfant ce qui peut exister de meilleur. Faites confiance à la nature : il n'est pas d'aliment plus sain que le lait maternel ! Les bébés nourris au sein sont moins sujets aux allergies que ceux qui sont nourris au biberon. Leurs défenses immunitaires sont renforcées, ils sont moins souvent malades et plus rarement victimes de la mort subite du nourrisson.

La demande de l'enfant en lait maternel régule son offre : si votre bébé est vorace, sa maman produit beaucoup de lait ; à l'inverse, si son appétit est faible, elle en produit peu. Lorsque l'allaitement se déroule dans de bonnes conditions, sans stress, ce système se régule de lui-même.

Une alimentation complémentaire est rarement nécessaire et peut même perturber l'équilibre. En effet, lorsque le bébé reçoit une autre nourriture, il tète moins. La production de lait diminue, la mère a l'impression de ne pas pouvoir nourrir suffisamment son enfant, ce qui risque d'entraver la lactation. La composition du lait maternel est toujours adaptée aux besoins de l'enfant. La proportion de substances nutritives et d'anticorps que la mère transmet à son enfant par l'intermédiaire de son lait, se modifie selon son âge. Par ailleurs, le lait est toujours à la bonne température, il est frais et aseptique. Ainsi, votre enfant a à sa disposition une nourriture idéale : naturelle, complète et adaptée à son évolution.

Le retour de l'allaitement

Après avoir connu une nette baisse de popularité pendant un demi-siècle, l'allaitement fait un retour en force en France depuis quelques années, dans le sillage des États-Unis et des pays nordiques. Créée en 2000, la Cofam (Coordination française pour l'allaitement maternel) rassemble des associations et des professionnels de la santé qui agissent pour promouvoir l'allaitement maternel. La promotion de l'Ihab (Initiative Hôpital Ami des bébés) est l'un de ses axes privilégiés. Ce programme lancé en 1991 par l'OMS et l'Unicef a pour but la mise en place dans les maternités de projets de service favorisant l'accompagnement de l'allaitement maternel. Pour pouvoir prétendre au label « Ami des bébés », les maternités doivent respecter les « dix conditions pour le succès de l'allaitement maternel » définies par l'OMS et l'Unicef. En France, 17 maternités ont actuellement ce label, décerné pour quatre ans.

Les avantages de l'allaitement

- Votre enfant reçoit une alimentation adaptée à ses besoins.

- C'est une solution pratique et économique.
- Vous n'avez pas besoin de vous lever aussi souvent la nuit.
- Vous pouvez vous déplacer facilement, sans vous soucier de l'alimentation de votre bébé.
- Vous aussi pouvez nourrir votre bébé de temps à autre avec un biberon de lait tiré au sein.
- Vous avez plus de temps pour vous.

Une expérience unique

Pour beaucoup de mères, l'allaitement est une expérience merveilleuse, gratifiante, qui crée un lien étroit avec le bébé. Mais l'allaitement sollicite beaucoup la maman sur le plan physiologique. La lactation est fatigante. Et au début, les seins peuvent être douloureux, jusqu'à ce que les mamelons soient habitués à la demande du bébé. À ces désagréments s'ajoute le fait que pendant les premiers mois, le bébé doit aussi être allaité la nuit. Le sommeil de sa mère est donc perturbé et elle se sent fatiguée pendant la journée.

Le manque de sommeil, ainsi que les effets de la prolactine, hormone de la lactation, sont à l'origine de symptômes que les femmes décrivent comme des difficultés à se concentrer et à suivre les conversations ; elles se sentent épuisées et ont des trous de mémoire. La prolactine peut aussi avoir pour conséquence une grande émotivité chez les mères qui allaitent.

Faites preuve de patience avec votre compagne, essayez de la soutenir. Il suffit parfois d'un peu d'humour, d'une plaisanterie pour relativiser ces effets secondaires et surmonter les difficultés passagères.

Les difficultés liées à l'allaitement

Que votre compagne allaite votre enfant ou que vous le nourrissiez tous les deux au biberon, chaque repas peut durer jusqu'à 45 minutes. À raison de cinq à sept repas par jour, cela signifie plusieurs heures dans la journée, et donc peu de temps pour le reste. Certaines mères se sentent si attachées à leur enfant qu'elles ne parviennent plus à envisager de faire quoi que ce soit sans lui. Vous avez alors un rôle à jouer en tant que père. Pour soulager un peu votre compagne, vous pouvez donner vous-même de temps à autre un biberon de lait tiré au sein, ou faire appel à une baby-sitter.

Si votre compagne a des difficultés à allaiter, ou si vous avez tout simplement besoin de conseils, par exemple pour tirer le lait, vous pouvez vous adresser aux sages-femmes, aux puéricultrices des centres de PMI ou aux nombreuses associations qui dispensent ce genre d'assistance, soit par téléphone, soit dans le cadre de réunions.

L'allaitement peut durer jusqu'à ce que la mère n'ait plus de lait, mais c'est le plus souvent la reprise du travail pour la mère qui impose le sevrage. L'Organisation mondiale de la santé conseille d'allaiter complètement les bébés pendant au moins six mois, et de continuer ensuite pendant un an en introduisant progressivement les aliments solides, en attendant qu'il s'y habitue.

Faites face ensemble

Votre enfant ne se développe pas à un rythme régulier. Il a des poussées de croissance, pendant lesquelles son appétit augmente. Il se peut alors qu'un bébé qui en temps normal est nourri au sein toutes les trois heures ait faim au bout d'une heure ou deux. Cette demande peut être très fatigante pour la maman, surtout la nuit. Mais il est alors important de ne pas refuser le sein à l'enfant. Car au bout de quelques jours, la mère produit davantage de lait, et l'enfant reprend ensuite son ancien rythme.

Il peut aussi arriver que votre compagne soit lasse d'allaiter. Dans ce cas, aidez-la à passer le cap en soulignant les avantages que présente l'allaitement, notamment la nuit : il est beaucoup plus facile de mettre le bébé au sein et de continuer à sommeiller, plutôt que de se lever pour préparer un biberon : chauffer l'eau, la laisser refroidir à la bonne température, ajouter le lait en poudre et secouer vigoureusement, mais pas trop pour éviter la formation de mousse et des flatulences pour l'enfant...

Le père et l'allaitement

Sain et pratique, l'allaitement forge également une relation privilégiée entre la mère et l'enfant. Mais le père profite lui aussi de cette situation qui lui épargne du travail. Il peut contribuer à l'allaitement en assurant une atmosphère propice. Votre soutien est très important pour votre compagne et pour votre enfant. Les pères jouent un rôle déterminant dans la réussite et la durée de l'allaitement.

Comment gérer la jalousie ?

Certains pères éprouvent de la jalousie face au tendre corps à corps qui unit la mère et l'enfant. Le sein, élément érotique du corps de la femme, est désormais occupé par le bébé. Ils se sentent exclus de cette relation à deux, inutiles aussi. Ils craignent que leur compagne s'éloigne d'eux, tant elle semble se satisfaire du contact physique avec son bébé. Certaines mères en sont si rassasiées qu'elles ne sont plus disponibles pour recevoir les marques de tendresse de leur compagnon.

Si vous éprouvez de la jalousie ou un sentiment de frustration, sachez que vous n'êtes pas le seul. Mais si vous restez à l'écart, votre difficulté s'aggravera.

Un arrêt brutal de l'allaitement ou des problèmes d'allaitement, souvent d'origine psychique, peuvent également être sources de tensions pour toute la famille, y compris pour vous.

Considérez la situation sous un angle positif : votre enfant est nourri dans des conditions optimales, et vous pouvez lui donner de temps à autre un biberon de lait tiré au sein. Dans quelque temps, lorsque son alimentation sera différente, vous aussi pourrez le nourrir.

Comment pouvez-vous participer à l'allaitement ?

Nombreuses sont les possibilités pour vous, en tant que père, de participer à l'allaitement, mais aussi de soutenir votre compagne et votre enfant.

- Lorsque votre compagne allaite, asseyez-vous derrière elle, sur le lit, comme vous l'avez peut-être déjà fait durant la grossesse, et posez votre bras tendrement autour d'elle et de votre enfant.

- Mettez à profit les moments de tranquillité que procurent les tétées pour préparer des repas sains et équilibrés pour votre compagne et vous-même. Cette nourriture sera elle aussi transmise à votre enfant.
- Asseyez-vous à côté de votre compagne pendant qu'elle allaite votre enfant et faites-lui la lecture. Peut-être a-t-elle besoin de nourriture intellectuelle !
- Songez que si votre compagne prend un congé parental, vous nourrissez votre famille d'une autre manière. Vous subvenez aux besoins matériels de votre enfant et de votre compagne.
- Pesez les avantages et les inconvénients de l'allaitement avec votre compagne avant la naissance. Demandez-vous si vous souhaitez que votre enfant soit nourri au sein, et pendant combien de temps. Réfléchissez à la manière dont vous pouvez participer à l'allaitement et aider votre compagne.
- De temps à autre, il est bon d'échanger des compliments sur la participation de chacun au déroulement de la vie quotidienne : l'allaitement, les tâches domestiques, les rentrées financières. La reconnaissance réciproque aide à mieux supporter la fatigue et les contraintes.

Sein ou biberon, une décision commune

Bien que l'allaitement présente des avantages incontestables, cette solution peut ne pas convenir à votre compagne. De nombreux facteurs peuvent engendrer des difficultés : aide insuffisante au départ, fatigue, manque de confiance en soi et de sommeil sont des sources de stress pour la mère. Si, malgré les conseils que peuvent vous donner les professionnels, l'allaitement devient trop contraignant, son arrêt au profit du biberon peut être un soulagement pour toute la famille. Discutez-en et prenez la décision ensemble.

Soyez compréhensif avec votre compagne : la maman a parfois un sentiment d'échec lorsqu'elle doit renoncer à nourrir son bébé au sein. Complimentez-la pour ses efforts et faites du biberon un projet commun.

Parmi les raisons pouvant imposer l'arrêt de l'allaitement figure l'obligation pour la mère de prendre un médicament. Le biberon est alors une bénédiction, et une chance pour vous, en tant que père, de pouvoir nourrir régulièrement votre enfant.

Prenez aussi en compte le fait que votre compagne puisse ne pas souhaiter donner le sein pour des raisons qui lui sont propres. Discutez-en ensemble mais surtout ne la culpabilisez pas !

Il pleure et ne fait pas ses nuits

Pendant les premiers mois, les pleurs et les cris font partie du quotidien du bébé. Même si ces manifestations peuvent user les nerfs de ses parents, ce sont les principaux moyens d'expression dont il dispose. Autre source d'inquiétude, le sommeil du tout-petit est un sujet de discussion récurrent chez les jeunes parents.

Consolez votre bébé

Au bout de quelque temps, vous parviendrez à interpréter les différentes formes que peuvent prendre ses cris et ses pleurs. Vous saurez si votre bébé a faim, s'il est fatigué ou s'il s'ennuie, s'il a mal quelque part ou s'il a simplement envie qu'on s'occupe de lui.

Mais il arrive aussi qu'un bébé crie sans raison apparente, y compris lorsque tous ses besoins essentiels semblent satisfaits. Il est tout simplement inconsolable.

Ce type de situation met la patience des parents à rude épreuve. Beaucoup se sentent impuissants, désespérés, ou cèdent à la colère, et finalement ils ont mauvaise conscience. Pensez que votre enfant ne crie jamais dans le but de vous ennuyer. Il a toujours une raison valable. S'il vous arrive d'être à bout de nerfs, il est préférable de confier votre bébé à votre compagne ou à une tierce personne.

Interprétez ses pleurs

Les cris sont toujours des messages que l'enfant vous envoie et auxquels vous devez réagir. N'attendez pas trop longtemps : plus tôt vous commencerez à le consoler, plus vite il se calmera. Après avoir examiné toutes les causes physiques possibles, s'il continue à pleurer, passez en revue le déroulement de sa journée. Peut-être ses cris sont-ils un moyen pour lui d'évacuer des tensions ? Sa journée a-t-elle été trop remplie, a-t-il été sollicité par trop de stimulations : vous l'avez emmené au supermarché, puis en voiture, vous avez eu des visiteurs qui l'ont pris dans leurs bras à tour de rôle, ses frère et sœur l'ont énervé... ?

Les parents ne sont pas les seuls à être affectés par un excès d'agitation et de stimulations, les bébés aussi ! Toutefois, des cris sans cause apparente peuvent cacher un traumatisme à la naissance, qui s'exprime de cette manière. Dans ce cas, les seuls remèdes sont de la sollicitude de votre part et une grande patience.

Si votre bébé crie régulièrement pendant des heures sans qu'il soit possible de le consoler, vérifiez auprès de votre médecin qu'il n'est pas malade.

Comment calmer bébé

Si votre enfant hurle sans raison apparente, allongez-le tendrement sur votre bras et bercez-le en le rassurant, en lui disant que ça fait du bien de pleurer, qu'il ira mieux tout à l'heure, même si ça ne vous paraît pas évident. N'essayez pas trop de moyens les uns à la suite des autres, vous risqueriez de le perturber.

Une solution efficace consiste à tenir le bébé calmement dans ses bras contre sa poitrine, en respirant profondément et régulièrement. Beaucoup de bébés se calment ainsi. Vous pouvez aussi lui parler doucement ou lui chanter une chanson.

Le sommeil de bébé

Pendant la première année, le bébé adapte progressivement son rythme sommeil-veille à l'alternance du jour et de la nuit. Il commence à dormir plus de 4 heures d'affilée. Certains le font plus tôt que d'autres. En matière de sommeil, les besoins des nourrissons sont très variés, comme ceux des adultes. La plupart dorment 14 à 18 heures par jour, certains jusqu'à 20 heures, tandis que d'autres se contentent de 12 à 14 heures.

Les premiers mois

Pendant les six premiers mois, peu de bébés font des nuits complètes. Ceux qui sont nourris complètement au sein, en particulier, ont besoin d'une à trois tétées, car le lait maternel se digère très bien. C'est éprouvant pour les parents qui n'attendent qu'une chose: pouvoir faire de nouveau des nuits complètes. Soyez patient et consolez-vous à l'idée que les choses vont s'améliorer de mois en mois.

Aidez-le à trouver le sommeil

Pendant la première année, évitez de laisser l'enfant pleurer seul dans son lit, même brièvement, contrairement aux conseils que l'on peut vous donner. La confiance du bébé en ses parents et en son environnement peut en souffrir gravement. Pour favoriser l'endormissement de votre enfant, enchaînez les activités de la soirée toujours dans le même ordre. Votre enfant finira ainsi par comprendre que le moment est venu d'aller au lit.

Programmez le déroulement de la soirée à votre convenance, en mettant au point un rituel. Pendant la demi-heure qui précède le coucher, toute activité est à proscrire. Si vous rentrez tard de votre travail et que votre bébé est au calme avec sa maman, résistez à la tentation de jouer avec lui et privilégiez les câlins.

Comment l'enfant doit-il s'endormir? En tétant? Avec l'un de ses parents à côté de lui ou tout seul? À vous de choisir, en fonction de votre sensibilité ou de vos convictions. N'écoutez pas obligatoirement les conseils des autres, suivez votre intuition.

Des rituels pour le coucher

En grandissant, votre enfant va vouloir résister au sommeil pour rester plus longtemps avec vous. Instaurez des rituels qui marquent que l'heure est venue d'aller dormir et soyez très disponible pour ce moment précieux. Vous pouvez ainsi:

- regarder un livre ensemble;
- inventer une histoire;
- souhaiter « bonne nuit » aux peluches;
- chanter tous les soirs la même berceuse;
- faire la liste ensemble des moments agréables de la journée;
- remonter la boîte à musique;
- et, bien sûr, faire des câlins et dire des mots tendres...

La dépression du post-partum

Pour chaque femme et chaque homme, la naissance d'un enfant, et plus particulièrement du premier, induit des bouleversements profonds : physiques, psychiques et sociaux.

Le baby blues

Nombreuses sont les épreuves, petites ou grandes, qui attendent les parents une fois le bébé arrivé au monde : ses pleurs et ses cris, les nuits blanches, la fatigue, le poids des responsabilités pour le reste de leurs jours, le risque de tomber dans les schémas parentaux traditionnels.

Les mères sont souvent les premières victimes de ces chamboulements. Entre l'allaitement ou le biberon, le change, les câlins pour consoler le bébé qui pleure et la gestion de la vie quotidienne dans son ensemble, il ne leur reste pas une minute pour se détendre et se reposer.

Les papas aussi

Pour le père aussi, les premiers jours et semaines avec l'enfant sont souvent éprouvants. Si vous vous sentez insatisfait, irritable ou dépressif, échangez vos impressions avec des personnes de votre entourage. Demandez à d'autres pères ce qu'ils ont ressenti après la naissance de leur enfant.

En parlant ouvertement de vos difficultés, vous rencontrerez des hommes qui ont eu le même vécu que vous, et ces échanges vous réconforteront, car vous verrez que vous n'êtes pas seul dans votre cas.

Elles finissent par déprimer, et les répercussions se font sentir sur toute la famille.

Cet état dépressif, consécutif à la naissance d'un enfant, peut revêtir diverses formes, plus ou moins graves. Les spécialistes différencient le baby blues de la dépression postnatale (dépression grave) et de la psychose postnatale (confusion mentale, obsessions). Les deux dernières manifestations touchent une minorité de femmes.

Le baby blues, lui, affecte 50 % des mères entre le troisième et le cinquième jour après la naissance, et peut durer quelques heures ou plusieurs jours. Il se manifeste principalement sous la forme de pleurs, insomnies, épuisement, irritabilité, fragilité psychique.

La question du baby blues figure en général à l'ordre du jour pendant les séances de préparation à l'accouchement. Ce n'est pas le cas de la dépression et de la psychose postnatales, qui sont rarement abordées, y compris dans les ouvrages spécialisés. Un important travail de recherche s'impose encore à ce sujet.

Comment aider votre compagne ?

Le baby blues a pour origine les modifications hormonales consécutives à l'accouchement, ainsi que les changements qui interviennent dans la vie de la maman. Pour éviter qu'il ne se transforme en dépression, soyez compréhensif avec votre compagne.

- Veillez à ne pas minimiser ses sentiments.
- Ayez des gestes affectueux à son égard pour lui montrer que vous l'aimez telle qu'elle l'est.
- Prenez vous-même en charge certaines tâches concernant les soins du bébé et la vie domestique.
- Cherchez une femme de ménage, en accord avec elle.

Essayez de relativiser

Gardez à l'esprit que les difficultés que vous vivez ne sont que passagères. Votre enfant va grandir, et votre vie quotidienne sera bientôt rôdée. Il ne s'agit pas là d'illusions, mais d'un fait objectif ! Parlez-en éventuellement dans des groupes de parole pour hommes.

Les douze premiers mois

Les bébés se développent à une vitesse impressionnante. Même en voyant votre enfant tous les jours, en jouant avec lui, en le changeant, en lui donnant son bain et en le nourrissant, vous aurez parfois l'impression que certaines étapes de son évolution vous ont échappé.

Chacun son rythme

Afin que vous puissiez avoir un aperçu du développement de votre enfant pendant les douze premiers mois de sa vie, nous vous proposons un calendrier sur les pages qui suivent. Les indications de temps ne sont qu'approximatives, les informations s'appliquant toujours à la fin de la période concernée.

Si votre enfant n'a pas fait ses premiers pas au moment indiqué sur le tableau, inutile de vous inquiéter. Chaque enfant se développe à son propre rythme. Des visites régulières sont prévues chez le pédiatre. Il pourra suivre ainsi son évolution, détecter d'éventuels retards et envisager si nécessaire des mesures avec vous pour y remédier.

Vous trouverez dans les pages qui suivent des conseils pour favoriser le développement de votre enfant selon son âge, jouer avec lui, échanger avec d'autres pères et enfants.

Son développement mois par mois

- **1er mois.** Premiers réflexes : le bébé lève les jambes et gigote comme s'il voulait marcher ; lorsque l'on touche l'une de ses paumes avec l'index, sa main se referme ; allongé sur le ventre, il redresse brièvement la tête ; il réagit aux bruits.
- **2e mois.** L'enfant répond aux sourires ; allongé sur le ventre, il redresse mieux sa tête ; il essaie de mettre les objets à la bouche.
- **3e mois.** Allongé sur le ventre, l'enfant se dresse en appuyant sur ses avant-bras ; il commence à se tourner et roule du côté sur le dos ; il réagit avec des sourires aux paroles agréables ; il suit des yeux les personnes et les objets ; il amène ses mains devant ses yeux et joue avec.
- **4e mois.** L'enfant commence à babiller ; il saisit les objets ; ses gestes et ses mouvements gagnent en assurance ; il met tous les objets à sa bouche. Attention aux menus objets, qu'il risque d'avaler !
- **5e mois.** Allongé sur le ventre, l'enfant se relève en prenant appui sur ses mains ouvertes ; il relève ses bras et ses jambes dans la position du planeur ; il apprend à différencier les personnes, les expressions du visage et les voix.
- **6e mois.** Allongé sur le dos, l'enfant se tourne à droite et à gauche ; il saisit les objets qu'on lui tend, suit des yeux les feuilles qui tombent au-dessus de lui ; il attrape ses pieds ; il fait passer les objets d'une main dans l'autre ; il essaie de s'asseoir seul.
- **7e mois.** L'enfant réussit à s'asseoir tout seul ; il passe du dos sur le ventre ; il met ses pieds à sa bouche ;

il commence à avoir peur des étrangers; il exprime ses désirs par des monosyllabes; il est souvent insatisfait, car il n'arrive pas à faire tout ce qu'il veut.

- **8e mois.** L'enfant fait ses premiers essais pour se mettre à quatre pattes; il se met à genoux en se tenant aux meubles; il tient bien en position assise et joue avec ses deux mains; il commence à manger avec ses mains.

- **9e mois.** L'enfant commence à avancer à quatre pattes; il saisit les objets entre le pouce et l'index; il reste plus longtemps en position assise; il balbutie différentes syllabes, essaie de parler.

- **10e mois.** L'enfant passe seul de la position allongée sur le ventre à la position assise; si vous le tenez par les mains, il garde brièvement la position debout; il avance de plus en plus vite à quatre pattes et adore déplacer les objets sur les étagères ou dans les tiroirs; attention aux escaliers!

- **11e mois.** L'enfant se déplace à quatre pattes; il se met debout en se tenant aux meubles et essaie de faire ses premiers pas; il bavarde sans arrêt; il exprime ses sentiments par des gestes affectueux ou brutaux.

- **12e mois.** L'enfant commence à faire ses premiers pas tout seul; son langage progresse; il comprend certains ordres et réagit à son nom. C'est la date de son premier anniversaire, mais aussi du vôtre en tant que père!

Ce que vous devez surveiller

1er-2e mois. Vérifiez avec le pédiatre les dates des vaccins. Si votre enfant est sujet aux allergies, faites-vous préciser quels vaccins sont obligatoires maintenant et lesquels peuvent être effectués ultérieurement. N'ayez pas peur de choyer votre enfant. Les enfants dont les besoins sont satisfaits pendant cette période précoce ont davantage confiance en eux et dans la vie. Parlez à votre enfant avec des phrases

Des âges pour s'adapter

La séparation d'avec ses parents est un événement très important dans la vie d'un bébé, et il y a des âges plus adaptés que d'autres. On préconise généralement de la faire dans les trois mois qui suivent la naissance. Si ce n'est pas possible, choisissez une période favorable, en essayant d'éviter certains âges plus délicats.

- Entre 4 et 5 mois, le bébé commence à avoir une conscience aiguë des personnes qui lui sont très proches et la séparation peut être délicate.

- Vers 7 mois, les visages nouveaux lui font peur.

- À 1 an, l'apprentissage de la marche est une activité importante. Il aura sans doute du mal à mener de front une séparation et cet apprentissage.

complètes, évitez le langage des bébés. Faites-le dormir à proximité de vous, ne le couvrez pas trop dans son lit, veillez à ce qu'il ait de l'air frais.

3e-4e mois. Observez bien votre enfant. Si vous vous posez des questions sur certains de ses gestes ou comportements, parlez-en au pédiatre. Allez avec lui à des séances de bébés-nageurs ou de massages pour bébés. Favorisez les jeux impliquant une interaction entre vous-même et votre enfant ; ne le laissez pas toujours s'occuper avec des jouets. L'activité physique lui est salutaire ; elle développe la motricité, l'équilibre, favorise la circulation du sang.

5e-6e mois. Votre enfant tourne-t-il la tête des deux côtés ? Entend-il bien des deux oreilles ? Faites un test en froissant du papier, sans qu'il vous voie, une fois à droite de sa tête, une fois à gauche. S'il ne suit pas le bruit avec sa tête, parlez-en au pédiatre. Votre enfant bougeant beaucoup maintenant, ne le laissez pas sans surveillance dans les endroits où il risque de tomber (par exemple sur la table à langer).

7e-8e mois. Ne laissez pas votre enfant assis sans appui s'il ne tient pas encore en position assise. Ne le laissez jamais seul, sauf lorsqu'il dort ; les enfants apprennent beaucoup par l'observation et l'imitation. Attention : lorsque votre enfant se met debout en se tenant aux meubles, il est temps de prendre des mesures pour assurer la sécurité dans la maison. La percée des dents peut s'accompagner de légères diarrhées. Parlez-en éventuellement au pédiatre. Si votre enfant est très entreprenant, faites preuve de patience.

9e-10e mois. Votre enfant découvre la loi de la pesanteur : il adore jeter les objets par terre et vous voir les ramasser. Ce n'est pas de la malice de sa part. Imitez ses gestes et son babillage ; vous lui renvoyez ainsi son comportement. Complimentez-le pour les progrès qu'il réalise. Évitez le trotteur pour l'apprentissage de la marche, ou limitez son utilisation : il peut être dangereux à proximité des escaliers, et il ne favorise pas le développement de l'enfant, car il freine sa liberté de mouvement et son envie de découverte.

11e-12e mois. Si votre enfant n'est pas encore très avancé dans l'apprentissage de la marche ou du langage, ne vous inquiétez pas. Favorisez l'acquisition du langage par le jeu et le chant, parlez-lui beaucoup avec des phrases complètes. Ne lui laissez pas la tétine en permanence dans la bouche, elle peut gêner l'acquisition du langage. En cas de doutes sur le développement de votre enfant, posez vos questions au pédiatre. Vous pourrez vérifier avec lui les vaccins qui doivent encore être effectués. Réfléchissez bien aux invitations pour le premier anniversaire de votre enfant ; limitez le nombre de personnes : trop de stimulations sont une source de stress pour les jeunes enfants.

Un papa presque parfait

Les pères, nous l'avons déjà dit, sont aussi capables de s'occuper de leurs bébés que les mères. Ils sont aussi sensibles et aussi intuitifs. Mais certains ont tendance à rester en retrait car ils craignent d'être maladroits, de ne pas savoir comment gérer les pleurs.

N'ayez pas peur

Ne craignez pas de faire mal à votre enfant lorsque vous le prenez. Les mains d'un homme ne sont pas si dangereuses et votre enfant n'est pas si fragile que vous le pensez. À la naissance, il a résisté à de gigantesques forces, à de violentes poussées.

Beaucoup de femmes n'arrivent pas à tenir leur bébé d'une main en toute sécurité. Votre force est donc un atout, profitez-en! Vous pouvez ainsi maintenir fermement votre enfant dans la baignoire ou bien le faire planer, le ventre posé sur votre main et votre avant-bras. Une position particulièrement apaisante lorsque le bébé souffre de coliques.

Les bébés sont généralement avides de découvertes. Ils s'intéressent à tout ce qui se passe autour d'eux et ne demandent qu'à participer. N'hésitez pas à intégrer votre enfant dès le départ dans votre vie quotidienne, si possible en alternance avec sa maman, car un peu de changement ne peut que favoriser son développement. Voilà une bonne raison pour vous de consacrer du temps à votre enfant et de créer votre propre relation avec lui.

Une maman exclusive?

La naissance n'a pas vraiment séparé l'enfant de sa mère et celle-ci peut entretenir un lien très fusionnel avec son bébé. Il arrive même que le lien qui unit ce dernier à son père la rende jalouse et qu'elle voie son compagnon comme un rival. Mais il est important que chacun respecte l'autre: si votre compagne se sent dépossédée de son tout-petit, essayez de lui faire comprendre que vous devez trouver votre place de père. Privilégiez aussi des moments pour votre couple car il est possible que votre compagne, par sa jalousie, exprime son besoin d'être reconnue comme femme et non pas seulement comme mère.

Des gestes simples

Vous vous sentez peut-être un peu maladroit avec ce petit être dans vos bras. C'est normal, car même les gestes les plus simples nécessitent un apprentissage. Votre compagne a sans doute reçu de nombreux conseils à la maternité et vous n'étiez pas forcément là pour les partager. Aussi, ces quelques pages vont vous aider à prendre de l'assurance en respectant le bien-être de votre enfant.

Soulevez et posez votre bébé

Quand votre bébé est allongé sur le dos et que vous voulez le prendre dans vos bras, faites-le avec délicatesse.

Les bienfaits du contact physique

Vous apprendrez vite à tenir et à porter votre enfant en toute sécurité, ainsi qu'à le poser contre votre épaule pour qu'il fasse son rot. Mais pensez à protéger vos vêtements !

C'est en les berçant dans leurs bras que, depuis toujours, les parents calment leurs bébés agités ou en pleurs, qu'ils les endorment.

Ce contact corps à corps est bénéfique pour les deux partenaires : votre bébé sent la chaleur et l'odeur de votre corps, ainsi que vos mouvements. De votre côté, le contact physique que vous établissez avec votre enfant vous familiarise avec lui et vous donne confiance en vous.

Commencez par établir un contact visuel en lui parlant et en le caressant.

- Glissez ensuite votre main gauche (si vous êtes droitier, l'autre main si vous êtes gaucher) sous sa nuque et la main droite sous ses fesses. Soutenez son dos avec votre avant-bras gauche, sa nuque et sa tête avec votre main. C'est très simple et avec un peu d'habitude, ces gestes deviendront instinctifs.
- Vous pouvez également prendre votre bébé des deux mains en le tenant sous les aisselles. Faites-le pivoter légèrement sur le côté, soutenez sa nuque et sa tête avec vos doigts, puis soulevez-le.

L'essentiel est qu'il sente, lorsque vous le prenez, que vous le maintenez fermement avec vos mains. Cette remarque vaut également lorsque vous le posez : pour retirer vos mains, attendez qu'il soit bien allongé sur le support. Veillez à toujours soutenir la tête de votre enfant, car au départ il n'est pas capable de la tenir. Si vous n'êtes pas sûr de vous, demandez des conseils à une puéricultrice, dans un centre de PMI (voir page 71).

Tenez et portez votre bébé

Ces deux techniques complètent la précédente pour soulever l'enfant.

- La tête de votre bébé repose dans le creux de votre bras. Son corps est allongé sur votre avant-bras et votre main soutient ses fesses. Pour plus de sécurité, maintenez-le avec l'autre main. Vous pouvez ainsi établir un contact visuel avec votre enfant.
- Quand le bébé grandit, il aime être porté à la verticale, le dos appuyé contre votre poitrine, la tête tournée vers l'avant pour pouvoir regarder ce qui se passe. Ses fesses reposent sur votre poignet droit. De la main droite, vous tenez sa cuisse gauche. Maintenez son buste au niveau des aisselles avec votre avant-bras gauche.

Au départ, veillez à bien soutenir la tête et la nuque de votre bébé. C'est seulement au cours des troisième et quatrième mois qu'il est capable de tenir sa tête et que les muscles de son dos se renforcent.

Les enfants apprécient généralement la position du « planeur » : le buste de votre bébé repose sur votre avant-bras et vous le retenez avec votre main placée autour de son aisselle. Maintenez-le avec l'autre main posée sur son ventre. Vous pouvez aussi l'allonger complètement sur votre avant-bras. Sa tête repose alors dans le creux de votre bras, votre main tenant sa jambe. Vers 3 mois, il est capable de redresser sa tête dans cette position, ce qui lui permet d'explorer son environnement. Si vous vous déplacez ainsi avec votre enfant, maintenez-le bien avec l'autre main.

Le massage ou l'art de la tendresse

Les massages sont une très belle manière d'exprimer votre tendresse pour votre enfant, d'instaurer entre vous un échange non verbal. À travers les massages, votre enfant perçoit votre sollicitude à son égard; de votre côté, vous découvrez son corps et apprenez à connaître ses réactions au contact physique.

Les massages favorisent la détente et l'équilibre mental. Ils peuvent également soulager des petits maux comme les coliques ou les flatulences. Toutefois, leur principal objectif est le bien-être de votre enfant, ces témoignages d'affection renforçant en outre le lien qui vous unit.

Lorsque votre bébé a mal au ventre, vous pouvez l'aider à évacuer les gaz agréablement. Allongez-le sur le dos, puis pliez doucement ses jambes en alternance vers son ventre, comme s'il pédalait.

Un massage, mais pas n'importe quand

Évitez d'entreprendre une séance de massage lorsque votre enfant a faim ou qu'il est fatigué. Vous pouvez choisir un moment où il est bien calme pour prolonger son bien-être; vous pouvez aussi le masser quand il est agité, pour l'apaiser. Si vous êtes vous-même serein, vous transmettrez votre état à votre enfant à travers les massages. Un peu de patience suffira à venir à bout de sa mauvaise humeur ou de ses pleurnicheries.

Les séances de massages doivent se dérouler dans une atmosphère paisible. Ne vous laissez pas distraire par des sollicitations extérieures, comme le téléphone.

Les préparatifs

La température de la pièce doit être d'au moins 25 °C. Vous pouvez masser votre bébé sur le lit. Asseyez-vous en tailleur et allongez votre enfant devant vous, ou posez-le sur vos jambes étendues. Dans un cas comme dans l'autre, prenez soin d'étaler une serviette au préalable, pour vous protéger vous-même, ainsi que le lit, des taches d'huile, de l'urine et éventuellement des selles. Les bébés font souvent pipi pendant les massages, car ceux-ci favorisent leur détente.

Petite leçon de massage

Après avoir vérifié que vos mains sont chaudes, enduisez-les d'huile, de préférence de l'huile d'amande douce. Au départ, procédez avec beaucoup de douceur, sans trop appuyer, en surveillant les réactions de votre enfant. Soyez particulièrement vigilant au niveau du ventre s'il a des coliques.

Massez très calmement et régulièrement toutes les parties de son corps, sans en privilégier une sur une autre. Si, par exemple, vous massez trois fois la jambe droite, massez également trois fois la gauche. Veillez à maintenir le contact physique avec votre bébé pendant toute la durée du massage avec une main, ou au moins un doigt.

Votre bébé est allongé sur le dos

- Commencez par le visage. Massez lentement, régulièrement et de manière symétrique avec vos deux pouces, du nez vers le bas des joues. Recommencez plusieurs fois.
- Massez plusieurs fois avec vos pouces, de manière symétrique, du milieu du front vers les tempes.
- Continuez avec le tronc. Massez en diagonale de l'épaule gauche à la poitrine et au ventre, jusqu'au haut de la jambe droite. Procédez de l'autre côté de manière identique.
- Posez ensuite votre main au milieu de la poitrine et massez latéralement vers le côté droit. Posez de nouveau la main au milieu de la poitrine et massez vers le côté gauche.
- Terminez par le ventre. Décrivez de petits cercles avec la main sur le ventre, uniquement dans le sens des aiguilles d'une montre (sens des intestins).

Votre bébé est allongé sur le ventre

- Commencez délicatement par le dos. Posez vos deux mains l'une au-dessous de l'autre, perpendiculairement à la colonne vertébrale, au niveau de la nuque. En poussant avec une main et en tirant avec l'autre, glissez lentement le long du dos. Répétez plusieurs fois sans appuyer sur le dos, et surtout pas sur la colonne vertébrale : elle est encore très sensible !
- Massez délicatement le dos de la nuque aux fesses, avec des gestes réguliers. Massez encore une fois le dos.
- Continuez avec les bras. Faites d'abord pivoter votre enfant sur le côté. Tenez un bras d'une main et faites glisser lentement l'autre main tout du long jusqu'à sa main. Procédez de même avec l'autre bras. Répétez ce massage tant que votre bébé ne se lasse pas, en veillant à ne pas perdre le contact avec sa main et à ne pas privilégier un bras sur l'autre.
- Terminez par les jambes. Appliquez la même technique aux jambes, en répétant le massage autant que vous le souhaitez tous les deux.

Savourez les bienfaits de ce moment privilégié avec votre bébé. Si vous prenez goût aux massages, vous pouvez vous perfectionner en suivant des cours.

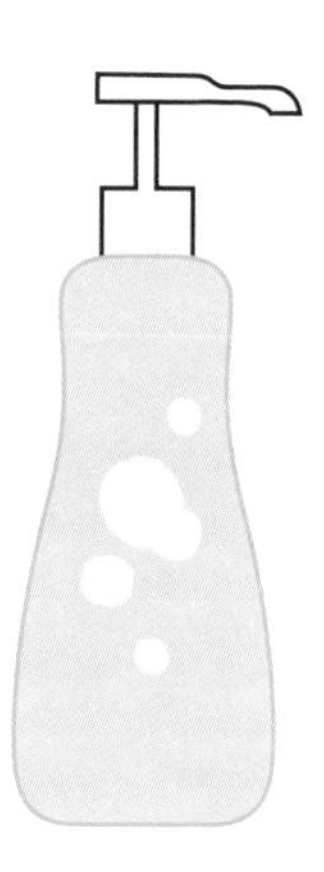

Jouez avec votre bébé

En tant que père impliqué, vous êtes très important pour votre bébé, autant que sa maman. Alors dégagez du temps pour lui ! Vous trouverez ci-après des conseils pour favoriser son développement selon son âge. Vous apprendrez aussi à mettre à profit les moments que vous vivrez ensemble, ainsi que ceux que vous partagerez avec d'autres pères et enfants.

Du temps pour vous occuper de votre enfant

Selon les résultats d'études menées auprès de pères, ce n'est pas seulement la quantité de temps passée avec l'enfant qui est déterminante pour la qualité de leur relation. Ce qui compte le plus, c'est le plaisir que le père éprouve à être avec son enfant, la tendresse qu'il lui prodigue et l'attention qu'il lui porte. C'est son implication dans sa démarche d'accompagnement.

Néanmoins, une disponibilité de temps est nécessaire pour pouvoir s'occuper de son enfant et construire avec lui une relation solide.

Il faut du temps pour cultiver l'amour: ce qui est vrai pour un couple l'est également pour le lien qui unit le père à son enfant. C'est pourquoi il est important que vous réserviez des tranches horaires à votre enfant pendant lesquelles vous prendrez en charge certaines tâches ou occupations.

Des moments rien que pour lui

Une fois que vous avez réussi à dégager du temps pour votre enfant, déterminez les tâches que vous pourrez assumer. Le principal avantage d'une répartition précise du temps et des tâches entre vous et votre compagne, c'est que votre enfant associe certaines tranches horaires ou scènes de sa vie quotidienne à son papa ou à sa maman. Si vous pouvez être avec votre enfant le matin, faites sa toilette, changez-le et habillez-le. Si c'est plus facile pour vous le soir, prenez en charge la toilette ou le bain, le change, le rituel du coucher.

Essayez aussi de trouver des moments pendant lesquels vous pourrez être seul avec votre enfant et vous divertir avec lui. Choisissez avec votre compagne le

Trouver le bon rythme

Quelques semaines après la naissance, votre enfant commence à trouver un rythme, son quotidien se structure. Notez ses périodes de veille et de sommeil. Les plages horaires pendant lesquelles vous êtes à la maison correspondent-elles à celles où votre enfant est réveillé? Si ce n'est pas le cas, réfléchissez avec votre compagne à la manière dont vous pouvez réorganiser votre vie quotidienne: pouvez-vous partir plus tôt ou plus tard au travail, rentrer plus tôt ou plus tard? Est-il envisageable de modifier légèrement le rythme de votre enfant, en le couchant progressivement un peu plus tôt le soir, de sorte qu'il se réveille plus tôt le matin, ou vice versa?

moment qui semble le plus adapté : ce peut être pendant la journée, le soir ou le week-end. Votre compagne pourra en profiter pour faire ce qui lui plaît (donner rendez-vous à une amie, par exemple).

Mais ne présumez pas de vos capacités. Si vous ne vous sentez pas prêt à passer plus d'une heure avec votre bébé, ne dépassez pas cette limite. Habituez-vous progressivement l'un à l'autre : c'est le meilleur moyen de prendre de l'assurance. Il est plus facile de prolonger ces intermèdes à deux, sans la maman, que de vous fixer des objectifs trop ambitieux que vous aurez du mal à atteindre. Si vous n'avez encore jamais donné le biberon à votre enfant, entraînez-vous avant de vous retrouver seul avec lui, pour éviter les déconvenues. S'il est encore nourri au sein, tenez compte du rythme et des horaires des tétées pour vous organiser.

Préparez votre rendez-vous

Pour décider de la manière dont vous occuperez ces moments, mettez-vous d'accord avec votre compagne.

- Si votre compagne souhaite rester seule à la maison, prenez le landau ou le porte-bébé et allez vous promener avec votre enfant. Le mouvement de la poussette et le corps à corps, dans le porte-bébé, détendent les nourrissons. Si votre bébé finit par s'endormir, c'est une bonne occasion pour vous de vous reposer à l'extérieur. Choisissez des lieux (squares ou jardins publics) où vous pouvez rencontrer d'autres parents avec leurs bébés et jeunes enfants. On fait facilement connaissance par l'intermédiaire des enfants.
- Si votre compagne souhaite sortir, profitez avec votre enfant du calme et du confort de la maison. Essayez de savoir ce qui lui ferait plaisir. Lorsque vous avez envie de le cajoler, observez ses réactions : est-ce qu'il se met à sourire, est-ce qu'il devient grognon ? Les bébés ont du mal à s'exprimer. C'est aux parents de deviner ce qu'ils éprouvent en procédant par tâtonnements.
- Lorsque vous changez votre bébé, prenez tout votre temps. La position allongée sur le dos, sur la table à langer, convient parfaitement aux échanges visuels ; vous pourrez lui raconter des histoires et le caresser ou lui faire des massages.
- Restez à l'écoute de ses désirs. Lorsque vous remarquez qu'il en a assez des massages ou des caresses, n'insistez pas. Avec un peu d'habitude, vous réagirez de manière instinctive.
- Certains jeux peuvent s'accompagner d'un peu d'excitation, c'est normal. Mais votre enfant a aussi besoin de moments de calme et de détente pour intégrer ses nouvelles expériences et poursuivre son développement de manière optimale. C'est surtout avant le coucher que toute activité doit être proscrite. En observant votre enfant, vous finirez par savoir quand il a besoin de calme.

Favorisez son éveil

Votre enfant est curieux ; il a envie de comprendre ce qui le concerne et ce qui se passe autour de lui. Invitez-le dès son plus jeune âge à participer en lui expliquant ce que vous faites.

Dès l'âge de 4 à 6 semaines, le bébé réagit à ce qu'il entend, notamment au langage. Il vous écoute avec beaucoup d'intérêt. Aussi, prenez l'habitude de parler avec lui lorsque vous vous occupez de lui : « Maintenant, c'est l'heure de la toilette... Je prends le gant, je le mouille sous l'eau du robinet, j'ajoute un peu de savon et je lave tes jambes... » Considérez votre enfant comme un interlocuteur à part entière, même s'il n'est pas encore capable de vous répondre de manière intelligible. Il perçoit néanmoins l'attention affectueuse que vous lui portez, et vous favorisez l'apprentissage du langage et l'éveil de son intelligence de manière très simple, mais très efficace !

Entre 4 et 6 mois, sa demande s'accroît. Il recherche davantage l'échange verbal. Lorsque vous vous arrêtez de parler, il enchaîne dans sa propre langue. Amusez-vous à lui poser des questions, comme : « Est-ce que ça te plaît ? » Il réagira. Lorsqu'il répond par des gazouillis, le dialogue s'instaure entre vous, vos conversations deviennent joyeuses et intéressantes !

Plus tard, vous pouvez regarder des livres ensemble et les commenter. Rien de tel pour le développement de son langage et de son intelligence. Choisissez des albums illustrés dans les bibliothèques, les librairies ou les vide-greniers. Le choix ne manque pas !

Le plaisir du chant et de la musique

Votre enfant est sensible à la musique et il adore vous entendre chanter. Alors faites-lui plaisir ! Que ce soit une berceuse, l'une de vos chansons préférées ou une mélodie de votre invention, peu importe. Inutile aussi d'être un as du chant. Ce qui compte, pour lui, c'est votre voix, le rythme, le plaisir que vous éprouvez et que vous lui faites partager. Si vous n'avez pas le cœur à chanter, écoutez de la musique ensemble ; mais préférez Mozart ou Bach à la techno ! Prenez votre enfant dans vos bras et dansez au rythme de la musique.

Pour réviser les paroles des chansons et des comptines qui ont bercé votre enfance, ou pour en apprendre de nouvelles, vous n'aurez que l'embarras du choix entre les livres et les disques.

Des idées de jeux

Quand votre enfant atteint l'âge de 3 ou 4 mois, vous pouvez le laisser s'occuper seul pendant quelques minutes avec ses jouets. Mais favorisez également les échanges par le jeu. Les idées ne manquent pas.

Soyez vigilant !

- Ne le laissez jamais jouer seul avec des petits objets, car il risque de les avaler. Il est encore trop jeune pour manipuler les Lego.
- Dès que votre enfant commence à avancer à quatre pattes, rangez soigneusement les objets dangereux qui se trouvent à sa portée.
- Protégez les prises de courant avec des cache-prises, installez des barrières de sécurité en haut des escaliers et des bloque-placards sur les portes. Vous trouverez le matériel dans les magasins de bricolage.

Vers 7-8 mois, les enfants apprécient les jeux de cache-cache. Prenez une serviette et posez-la sur votre visage, puis sur celui de votre enfant, en la retirant subitement. Le succès est assuré !

À l'âge de 9 mois, lorsque votre enfant commence à se déplacer à quatre pattes, il découvre sur les étagères et dans les tiroirs une mine de trésors qu'il se plaît, infatigable, à déranger et à remettre en place. Sous votre surveillance, il pourra s'amuser à déranger des CD et des livres que vous écouterez et regarderez ensemble, avant de les ranger de nouveau. Mais une caisse remplie de cubes l'occupera tout aussi bien.

Vous pouvez également lui faire faire du cheval sur vos genoux, jouer aux marionnettes ou courir derrière lui à quatre pattes en faisant semblant de l'attraper. Il sera ravi ! Donnez libre cours à votre fantaisie pour jouer avec votre enfant, en évitant bien sûr de prendre des risques, mais aussi de trop le solliciter.

Des espaces de rencontre

Les rencontres parents-enfants permettent aux enfants d'entrer en contact avec d'autres enfants de leur âge et favorisent leur développement. Elles offrent aux parents des possibilités d'échanges avec d'autres pères et mères. Ces rencontres peuvent se dérouler dans divers contextes : séances de bébés-nageurs, cours de massages pour bébés, lieux d'accueil des PMI, de la Caf, ou d'associations.

Rien ne vous empêche aussi de susciter les échanges avec des pères que vous connaissez. Vous pouvez participer ensemble à des activités conçues pour les enfants en bas âge, ou vous rencontrer simplement de temps à autre dans un square ou un jardin public.

Les pères ont souvent du mal à prendre ce genre d'initiative, même s'ils en ont l'idée. Pourtant, la plupart ressentent le besoin d'échanger avec d'autres hommes leur expérience de la paternité.

Des jouets pour chaque âge

- De 0 à 3 mois, une boîte à musique et quelques poupées ou figurines douces en tissus suffisent. Et ne noyez pas le lit de personnages malgré votre envie de couvrir votre bébé de cadeaux…
- De 3 à 6 mois, les hochets et autres objets à mordiller peuvent faire leur apparition.
- De 6 mois à 1 an, les tapis d'éveil sont parfaits, ainsi que les cubes en mousse ou les livres en tissu.
- Prenez soin, quand vous achetez un jouet pour votre bébé ou qu'on lui en offre un, de vous assurer qu'il répond aux normes de sécurité. Contrôlez aussi la tranche d'âge indiquée sur l'emballage ou faites-vous aider par un vendeur.

La Maison verte

La Maison Verte, à Paris (13, rue Meilhac, 75015 - www.lamaisonverte.asso.fr), est un lieu d'accueil pour les enfants de 0 à 3 ans accompagnés de leurs parents. Elle a été fondée en 1979 d'après une idée de la psychanalyste Françoise Dolto. Le but était de créer un lieu de rencontre convivial, le lien social étant reconnu comme essentiel à la santé psychique des enfants et des parents. L'équipe d'accueil se compose principalement d'éducateurs et de psychanalystes. La Maison Verte est ouverte aux enfants, aux parents et aux futurs parents quand ils le désirent. Aucune inscription n'est nécessaire.

Dans le même esprit, des centres d'accueil pour les parents et les enfants existent dans certaines grandes villes. Renseignez-vous auprès de la mairie, de la Maison des associations de votre ville, ou demandez conseil à votre pédiatre.

Trouvez le bon horaire

Malheureusement, ces lieux et séances sont souvent ouverts à des heures qui ne leur conviennent pas, généralement pendant les jours de la semaine, le matin ou l'après-midi, donc difficilement conciliables avec les horaires de travail. Quelles peuvent être les solutions ?

- Si vous travaillez à temps plein, renseignez-vous pour savoir si des possibilités existent le week-end.

- Si vous avez un statut de travailleur indépendant, essayez de vous organiser en conséquence. Peut-être pouvez-vous envisager de vous libérer une fois par semaine pendant deux heures, un matin ou un après-midi.

Choisissez votre moment

Autre difficulté pour les pères : lorsqu'ils arrivent à trouver un horaire et un lieu qui leur conviennent, ils se retrouvent souvent seuls avec des mères. Ce n'est pas obligatoirement un inconvénient, les pères pouvant se sentir très à l'aise au milieu de femmes. Leur présence et leur participation sont même appréciées, car ils apportent d'autres points de vue et se comportent différemment.

Néanmoins, certains pères rapportent qu'ils se sentent observés par les mères, parfois même dominés, ce qui influe sur l'attitude qu'ils ont avec leur enfant. Si vous vous trouvez dans ce cas, parlez-en à l'animatrice, exprimez votre sentiment de malaise. Peut-être les choses s'arrangeront-elles ainsi. Ou remerciez poliment les mères pour les conseils qu'elles vous donnent et que vous n'avez pas demandés, et agissez à votre guise.

Vivre autrement

L'arrivée d'un nouveau-né bouleverse tous vos repères. Vos relations avec votre compagne se trouvent transformées, surtout les premiers mois. La gestion du quotidien n'est pas toujours facile, car les préoccupations matérielles prennent souvent le pas sur votre vie personnelle et votre vie de couple. Et vos activités extérieures (travail, loisirs, vie sociale) prennent une autre dimension. Il vous faut maintenant apprendre à gérer la nouveauté de votre vie et à devenir père sans négliger ce que vous aviez construit jusque-là.

Pour concilier vie de couple, paternité, vie professionnelle et vie sociale.

Préservez votre vie de couple

Pendant les premiers mois qui suivent la naissance, vous êtes très sollicité par votre enfant, et votre relation de couple risque d'en souffrir. Mais il est indispensable de préserver ce couple que vous avez construit, malgré toutes les contraintes qui s'imposent à vous en tant que parents.

Gérer la nouveauté

À mesure que le quotidien de la famille se structure, les nouveaux parents découvrent souvent qu'il leur reste bien peu de temps pour eux-mêmes et pour leur couple. Peut-être avez-vous la chance d'avoir un bébé qui dort beaucoup et qui vous laisse le temps de vaquer aux tâches essentielles dans la maison. Peut-être êtes-vous bien secondés par des grands-parents, d'autres membres de la famille ou des amis. Il est néanmoins vraisemblable que votre relation de couple soit affectée par l'arrivée de votre bébé.

Une vigilance de tous les instants

Pendant la première année, le bébé exige de nombreux soins et une attention soutenue, y compris la nuit. Selon le tempérament de l'enfant, selon que ses débuts dans la vie ont été faciles ou difficiles, selon qu'il pleure peu ou beaucoup, que sa santé est bonne ou fragile, les parents ne sont pas tous sollicités de la même manière.

Au fil des jours, vous découvrez votre bébé et vous avez parfois tendance à vous inquiéter devant certains détails: ses cris vous semblent tout à coup différents, son corps vous paraît chaud, il éternue et vous redoutez un rhume, etc. Même si la grossesse et la naissance n'ont pas posé de problèmes, vous avez peut-être tendance à dramatiser, et toutes vos pensées sont tournées vers ce petit être qui vous semble si fragile.

Un quotidien qui vous dépasse

Beaucoup de parents ont aussi l'impression de ne plus pouvoir gérer le quotidien; les journées leur paraissent trop courtes pour mener de front toutes leurs occupations. L'une des principales difficultés pour les nouveaux parents, c'est d'arriver à concilier leurs obligations habituelles et les soins de leur enfant dans le temps qui leur est imparti, tout en trouvant un équilibre physique et émotionnel. Une difficulté qui implique souvent qu'un aspect important de leur vie soit momentanément négligé. C'est notamment le cas de la relation du couple, qui est pourtant la base de la famille.

Une nouvelle manière de vivre à deux

Quand un homme et une femme deviennent parents, ils accueillent leur enfant dans leur intimité. La relation à deux s'élargit en une relation à trois. De manière idéale, celle-ci peut être représentée par un triangle à l'intérieur duquel des liens s'instaurent entre les trois protagonistes. Dans la pratique, pendant les premières semaines qui suivent la naissance, ce schéma se présente souvent différemment. Le bébé a généralement une relation plus forte avec sa mère qu'avec son père : celui-ci travaillant à l'extérieur, il consacre moins de temps à son enfant. Il est alors compréhensible que le père puisse éprouver un sentiment de jalousie, car l'enfant fait soudain irruption dans la vie du couple.

Même si le père ne se sent pas mis à l'écart, les deux partenaires doivent s'habituer à partager avec leur enfant le temps dont ils disposaient pour eux seuls avant sa naissance. Pour beaucoup de parents, du moins au départ, ce changement n'est pas un problèmes, tant ils sont heureux de l'arrivée de leur bébé.

Le couple en difficulté

Cependant, nombre de couples ont des difficultés à faire face à cette situation. Pendant les premiers mois, les sorties à deux au spectacle, au restaurant ou avec les amis ne sont guère possibles.

Les parents dorment moins, ils ont moins de temps pour se parler, leur vie sexuelle est généralement plus réduite et ils se disputent plus souvent. Dans les cas les plus lourds, ces facteurs peuvent aboutir à une séparation dans les premières années qui suivent la naissance du premier ou du deuxième enfant.

Le couple est donc soumis à rude épreuve chez nombre de jeunes parents. Ils ont l'impression qu'ils sont les seuls à connaître ces difficultés et en déduisent souvent qu'ils ne peuvent pas continuer à vivre ensemble.

Les études menées auprès de couples qui deviennent parents montrent que la période initiale, correspondant à la création de la famille, s'accompagne souvent de stress et de frustrations. Chez les jeunes parents, la communication verbale, la vie amoureuse, la

Comprendre pourquoi votre compagne craque

Vous avez repris votre activité professionnelle et vos nuits trop courtes vous rendent moins patient. De son côté, votre compagne reste très fatiguée alors que son rythme est en apparence moins stressant que le vôtre. Essayez de comprendre ce qui se passe :

- Même si votre bébé est un bon dormeur, votre compagne est sollicitée toutes les 3 heures pour le biberon puis le change. Entre deux tétées, l'intervalle est court et ne permet pas de faire grand-chose. La situation est encore plus délicate si le bébé pleure beaucoup.
- Votre compagne se sent d'autant plus débordée qu'elle est encore fatiguée (les jours à la maternité ne lui ont pas permis de récupérer des neuf mois de grossesse).
- Si elle travaillait avant la naissance, elle se sent peut-être enfermée chez elle.
- Maux de dos et bobos divers sont souvent le lot des jeunes mamans dont le corps n'a pas encore retrouvé son équilibre.

gestion des conflits évolue rapidement de manière négative.

Les résultats d'une enquête menée auprès de pères et de mères entre le dernier trimestre de la grossesse et le 34e mois de l'enfant montrent que dans cet intervalle de temps :

- ils se disputent beaucoup plus souvent ;
- ils communiquent moins souvent et moins bien ;
- leur vie amoureuse est moins intense ;
- leur relation de couple est moins satisfaisante (surtout pour les femmes, au bout du 34e mois).

Le rôle des tiers

Si vous avez l'impression que dans votre entourage, d'autres parents s'en sortent mieux que vous, demandez-leur comment ils gèrent leur vie quotidienne. Souvent, les jeunes parents qui paraissent détendus sont bien épaulés par leur famille et leurs amis qui les relaient de temps à autre. Ils pourront sans doute vous donner des conseils pour que vous puissiez vous aussi vous faire seconder.

Entretenez votre vie de couple

Après la naissance du premier ou du deuxième enfant, les parents ont parfois l'impression qu'ils s'éloignent l'un de l'autre (et certains couples s'éloignent vraiment). Leur relation de couple souffre des changements induits par leur nouveau statut.

Pour préserver l'équilibre de votre couple, il est important que vous preniez les mesures nécessaires. S'il n'y a jamais de remède miracle dans ce type de situa-

Ne vous laissez pas déborder

Qu'il s'agisse de l'organisation matérielle de votre foyer ou des inquiétudes que vous éprouvez face à vos nouvelles responsabilités, évitez que l'angoisse ou le stress ne prennent le pas sur votre vie. Quelques règles simples :

- Si vous êtes facilement inquiet pour la santé de votre bébé, prenez rendez-vous chez le pédiatre pour évoquer avec lui vos sujets d'angoisse. Allez-y avec votre compagne pour que vous soyez deux à entendre les conseils prodigués et n'hésitez pas à revenir sur les points qui vous font le plus trembler. Si c'est votre compagne qui se montre soucieuse, aidez-la à formuler ses craintes et à entendre les conseils donnés en retour.
- Prévoyez pour chacun de vous une plage horaire de liberté dans la semaine : un grand après-midi pour flâner, faire du sport, voir un(e) ami(e)…
- Laissez passer les premières semaines, puis accordez-vous un rendez-vous hebdomadaire tous les deux pour faire une activité ensemble.
- Si vous avez besoin de discuter de votre couple, prévoyez un autre moment. Il s'agit pour l'heure de vous retrouver de façon légère et juste pour le plaisir.

tion (comme dans toute situation de crise), quelques gestes simples peuvent aider à dépasser les crises les plus difficiles. Nous vous donnons des suggestions pour y parvenir dans les pages qui suivent.

Témoigner votre estime et votre reconnaissance

Dans le milieu du travail, les compliments et les marques de reconnaissance ont des effets positifs sur ceux qui les reçoivent. Ils sont encourageants et incitent à prendre des initiatives. Ces conclusions se sont imposées dans la formation des cadres supérieurs.

Ces remarques valent également dans la vie privée. Selon le psychologue américain John Gottman, l'affection et l'estime constituent les piliers d'une relation stable et satisfaisante. Lorsque les parents endossent leur nouveau rôle de père et de mère, ils sont souvent en proie aux doutes, et il est essentiel qu'ils se valorisent mutuellement. Leurs incertitudes peuvent s'exprimer sous la forme de questions comme : « Suis-je un bon père/une bonne mère ? » « Suis-je un bon compagnon/une bonne compagne ? » « Suis-je un homme séduisant/une femme séduisante ? »

Bien souvent, la routine et la fatigue du quotidien ne favorisent pas l'échange de témoignages de reconnaissance. Vous avez peu d'occasions de partager des moments de détente à deux. C'est pourquoi il est important que vous exprimiez votre estime l'un pour l'autre dès que l'occasion se présente. Chacun des deux partenaires a besoin d'encouragements pour faire face aux changements qui interviennent dans leur vie et aux difficultés qu'ils entraînent.

Échangez des compliments

Essayez de trouver une heure pour un tête-à-tête. Créez une atmosphère intime, avec des bougies et de la musique douce par exemple. Prenez chacun trois feuilles de papier et écrivez dessus ce que vous appréciez chez votre compagne et ce que celle-ci apprécie chez vous.

Définissez un thème par feuille : homme/femme (feuille 1) ; compagnon/compagne (feuille 2) ; père/mère (feuille 3)

Écrivez tout ce qui vous vient à l'esprit, à l'exception des reproches ! Il est important que chacun de vous puisse exprimer clairement sa reconnaissance envers l'autre. Si l'exercice vous amuse, faites-le régulièrement, ou simplement lorsque vous en ressentez l'envie. Il peut être très gratifiant, révélant chaque fois des facettes nouvelles et agréables de votre relation.

Aussi ridicule que cela puisse paraître, la reconnaissance passe par des petits riens : « Tu as acheté les yaourts que j'aime, c'est gentil d'y avoir pensé ! » « Tu as eu raison de me faire essayer le porte-bébé ; c'est génial de porter Mathilde comme ça ! » « Ce chemisier te va vraiment bien ! »

Valorisez les bons moments

Au lieu de vous focaliser sur les moments difficiles, essayez de mettre en valeur tout ce que vous vivez d'agréable au quotidien. Livrez-vous à l'exercice suivant : lorsque vous avez cinq minutes pour vous, par exemple au moment du coucher, le soir, passez en revue votre journée.

- Retenez les moments qui ont été agréables pour vous.
- Concentrez-vous sur ces épisodes en visualisant les personnes qui ont contribué au plaisir que vous avez éprouvé.

Dès le lendemain, vous apprécierez mieux des situations identiques, vous en prendrez davantage conscience et vous exprimerez plus facilement votre estime aux personnes concernées.

Et pensez à témoigner votre reconnaissance à votre compagne dès que l'occasion se présente. Toutefois, vos compliments n'auront d'effet que si vous êtes vraiment sincère.

La communication dans le couple

L'échange régulier de compliments permet d'entretenir la communication et de préserver l'équilibre du couple. Même si vous n'avez jamais eu d'échanges verbaux violents avant la naissance de votre enfant, les disputes sont inévitables une fois que vous êtes parents. Pour limiter les dégâts au minimum, il est bon de définir des règles et de s'y tenir, y compris dans les situations difficiles.

Des rendez-vous réguliers

Pour faire face sereinement au vent de nouveauté qui balaie leur relation et préserver leur vie amoureuse, beaucoup de jeunes parents ont constaté qu'il était salutaire de se retrouver pour parler à dates fixes. Essayez de trouver un moment dans la semaine : par exemple pendant la promenade du dimanche après-midi, lorsque bébé dort dans son landau ; ou un soir, en faisant appel à une baby-sitter (allez au restaurant, le changement de cadre vous fera du bien).

Des idées pour se parler

- Déterminez une manière de marquer le début et la fin de la discussion. Vous pouvez par exemple commencer par échanger brièvement vos états d'âme respectifs, vos sujets de préoccupation, sans oublier de mentionner les aspects positifs.
- Passez rapidement en revue la période qui s'est écoulée depuis votre dernier rendez-vous : « Qu'est-ce qui a bien fonctionné ? Qu'est-ce qui peut être amélioré ? »
- À la fin de la discussion, assurez-vous qu'il n'y a plus de désaccords entre vous.
- Terminez la discussion en disant à l'autre ce que vous appréciez en elle/lui ; échangez des compliments pour recharger vos batteries.

Pour chacun de vous, il est bon de savoir que tel jour de la semaine, vous allez pouvoir dire ce que vous avez sur le cœur. Notez éventuellement les questions que vous souhaitez aborder pour ne pas les oublier entre-temps. Organisez de préférence ces rendez-vous dès la grossesse (elle aussi offre largement matière à discussion).

Les deux listes qui suivent ne prétendent nullement à l'exhaustivité et il n'est pas question non plus d'en faire une feuille de route inamovible pour communiquer dans votre couple. Elles sont là pour vous aider à fixer des cadres à votre discussion afin que celle-ci ne tourne pas au règlement de comptes. Dans la fatigue et le désarroi que provoque votre nouvelle vie, vous comme votre compagne risquez de commettre des maladresses qui vont très vite fermer la discussion. Autant connaître les écueils à l'avance pour mieux les éviter...

Cinq règles pour parler

1. Parlez de vous

Exprimez vos souhaits plutôt que de formuler des reproches à l'autre. Le « je » est préférable au « tu » accusateur. Par exemple : « Je suis furieuse, il n'y a pas de jus d'orange », au lieu de : « Tu as (encore) oublié d'acheter le jus d'orange ! Tu sais pourtant que je ne peux pas m'en passer au petit déjeuner. »

2. Jouez franc jeu

Montrez-vous tel que vous êtes, avec vos forces et vos faiblesses. Évitez de mentir. La vie est plus facile quand on est sincère (les enfants le savent bien). Dites : « Oh ! J'ai oublié d'acheter le jus d'orange, excuse-moi », plutôt que : « Il n'y avait plus la marque que tu prends habituellement. »

3. Soyez concret

Limitez-vous aux situations ponctuelles. Des mots comme « toujours » ou « encore une fois » n'ont pas de prise directe sur la situation et l'aggravent. Évitez ainsi des formulations comme : « Tu oublies toujours ce qui est important pour moi ! »

4. Ne ressortez pas les vieilles histoires

Restez-en à la situation présente. En rabâchant les vieilles histoires, vous aggravez le conflit et ne favorisez pas sa résolution. « La semaine dernière, tu as déjà oublié les raisins secs... »

5. Ne confondez pas attitude et trait de caractère

Des remarques comme : « Ça, c'est typique de toi ! » soulignent des traits de caractère négatifs et ne laissent pas de place au changement. Ne transformez pas une attitude ponctuelle en un trait de caractère ; c'est offensant pour l'autre, qui réagit alors mal.

Cinq règles pour écouter

1. Écoutez attentivement

Ne coupez pas la parole. Manifestez votre intérêt en posant des questions. En cas de difficulté, convenez d'un temps de parole pour chacun (3 minutes maximum, sinon cela tourne au soliloque), pendant lequel l'un des deux partenaires parle et l'autre écoute.

2. Redites-le avec vos propres mots

Répétez ce que vous venez d'entendre à votre propre manière ; vous éviterez ainsi les malentendus. Posez des questions pour préciser les choses. Renoncez à tout prix aux jugements !

3. N'éludez pas les problèmes

Lorsqu'un problème est mis sur la table, n'essayez pas de détourner la conversation ou d'en soulever un autre. Vous n'êtes pas supposé trouver une solution à tout. Une oreille ouverte est un premier pas vers l'élucidation du problème.

4. Trouvez des solutions ensemble

Complimentez-vous d'abord mutuellement pour votre franchise ! La colère aussi permet de mieux se connaître ou de se retrouver. Peut-être avez-vous appris ainsi qu'oublier le jus d'orange pouvait mettre votre compagne en furie. Dans ce cas, vous pouvez lui dire : « Excuse-moi d'avoir oublié le jus d'orange. Je ne savais pas que c'était si important pour toi. Maintenant, on essaiera d'y penser tous les deux... » Une attitude constructive évite que le conflit s'aggrave et permet de trouver des solutions ensemble.

5. Restez concentré et impliqué

Si vous êtes distrait par quelque chose, dites-le aussitôt ! Lorsque vous ne prêtez pas attention à ce que l'on vous dit, des éléments importants de la conversation vous échappent et votre interlocutrice peut se sentir froissée. Si vous sentez que votre esprit s'évade, proposez de faire une pause pour retrouver toute votre concentration à la discussion.

Le partage des tâches

La répartition des tâches qui vous incombent doit être faite dans un climat de confiance et de respect mutuels. Si vous avez l'impression que votre compagne a davantage de temps que vous pour elle-même, pour les enfants, pour ses amies ou pour son travail, vous éprouverez à la longue un sentiment de frustration qui compromettra l'équilibre de votre couple. Cette remarque vaut bien sûr aussi pour votre compagne.

Les enfants, facteur de déséquilibre?

Dans les couples sans enfants, la répartition des obligations et des tâches (travail et corvées domestiques) est généralement équitable. Mais la naissance du premier enfant menace souvent cet équilibre. Des facteurs variés y contribuent, comme l'inégalité des salaires entre hommes et femmes, ou la persistance des schémas parentaux traditionnels selon lesquels les hommes sont supposés subvenir aux besoins de la famille et les femmes s'occuper de leurs enfants. À titre d'exemple, davantage de mères que de pères prennent un congé parental d'éducation.

Les bienfaits d'une bonne organisation

Chez beaucoup de pères et de mères, cette répartition inéquitable conduit à un sentiment de frustration: les mères souhaitent poursuivre leur carrière professionnelle; les pères, consacrer davantage de temps à leurs enfants que celui dont ils disposent, le soir au moment du coucher et pendant les week-ends. Vous trouverez plus loin des informations sur le congé parental, auquel peuvent prétendre les pères comme les mères, ainsi que des conseils pour bien le vivre; il peut se révéler bénéfique autant pour vous-même et pour votre enfant que pour votre compagne et votre couple.

Quels que soient les choix que vous fassiez pour répartir les tâches et les obligations avec votre compagne, ils doivent être dictés par vos besoins et vos désirs personnels, sans référence à des modèles qui ne vous conviennent pas. Sans doute votre emploi du temps était-il déjà bien rempli avant la naissance de votre enfant. Depuis, le

Partage des tâches : encore des progrès à faire...

Même si les choses évoluent un peu, les études de l'Insee montrent qu'il existe une forte disproportion entre les activités des mères et celles des pères. Les mères qui travaillent partagent à peu près équitablement leur temps entre leur famille et leur activité professionnelle (elles assurent en moyenne 8 % des tâches domestiques), alors que pour les pères, statistiquement, la répartition est de 70 % pour le travail contre 30 % pour leur famille. Et beaucoup de femmes réduisent leur activité professionnelle après la naissance d'un premier enfant. Ce choix est plus rare chez les hommes.

champ de vos occupations s'est considérablement élargi. Dorénavant, une redistribution de vos activités s'impose, éventuellement au détriment de certaines, pour que vous-même et votre compagne puissiez consacrer suffisamment de temps à votre enfant.

Pensez aux tête-à-tête

Nombreux sont les jeunes parents qui se plaignent de ne plus avoir de temps pour eux. Mais en vous livrant à l'exercice proposé précédemment, vous avez pu constater que cette situation n'est pas irrémédiable. Peut-être vous sentez-vous complètement absorbé par vos responsabilités de père, peut-être n'avez-vous pour ainsi dire pas de moments de détente à deux, avec votre compagne. Dans ce cas, cherchez ensemble des moyens pour vous retrouver en tête à tête.

Vous organiser pour vous retrouver

- Habituez le plus tôt possible votre enfant à être gardé par des personnes de confiance.
- Organisez des gardes à tour de rôle avec des parents qui ont des enfants du même âge que le vôtre.
- Réservez un soir de la semaine à vos tête-à-tête, à la maison.
- De temps à autre, faites-vous livrer votre repas à domicile pour mettre à profit le temps que vous passeriez à faire la cuisine.
- Réservez une pièce pour votre vie de couple, à laquelle bébé n'aura pas accès.

Un emploi du temps équilibré

Nous vous proposons un exercice qui vous aidera à organiser votre vie quotidienne en toute connaissance de cause, de manière à ce que chaque membre de la famille y trouve son compte.

Photocopiez en deux exemplaires le tableau de la page ci-contre et en trois exemplaires les deux diagrammes. Vous les remplirez en vous inspirant des suggestions qui accompagnent ces outils.

Mettez à profit le temps de la grossesse pour réfléchir à la question et vous livrer l'un et l'autre à cet exercice en toute tranquillité. Une fois votre enfant arrivé au monde, vous serez moins disponible.

Première étape : avant la grossesse

Prenez un exemplaire du tableau et donnez l'autre à votre compagne. Inscrivez dans la première colonne le nombre d'heures, par jour travaillé (donc sans les week-ends), que vous consacriez avant la grossesse à chacun des champs d'activités indiqués. Pour celles qui ne sont pas quotidiennes, faites une moyenne journalière. Attribuez une couleur à chaque champ d'activités.

Chacun des deux diagrammes compte 24 rayons : un pour chaque heure de la journée. Reportez sur votre exemplaire, sur le diagramme de gauche, les indications de temps figurant sur le tableau. Vous avez ainsi une idée précise de votre emploi du temps avant la grossesse.

Tableau de.........................	**Nombre d'heures**	
	a) Avant la grossesse	b) À deux mois et demi
Champs d'activités		
Maison (ménage, cuisine, repassage, lessive, jardinage, réparations...)		
Sommeil et repos (nuit et journée)		
Travail (nombre d'heures, temps de trajet...)		
Loisirs (activités sportives et autres, moments de détente)		
Couple (activités communes)		
Enfant(s) (tout ce qui le(s) concerne)		

Diagramme de....................................

Avant la grossesse

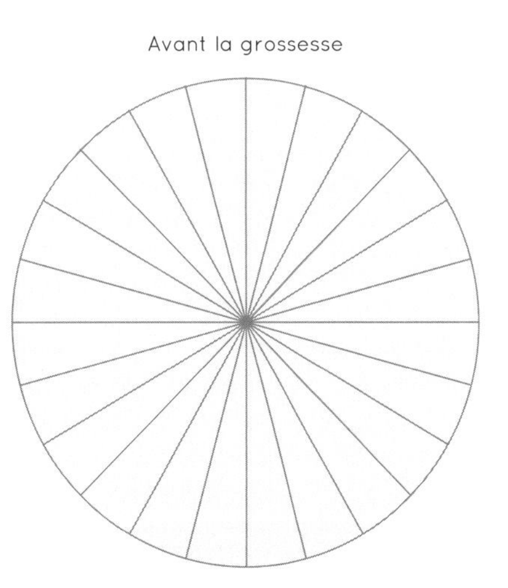

À deux mois et demi

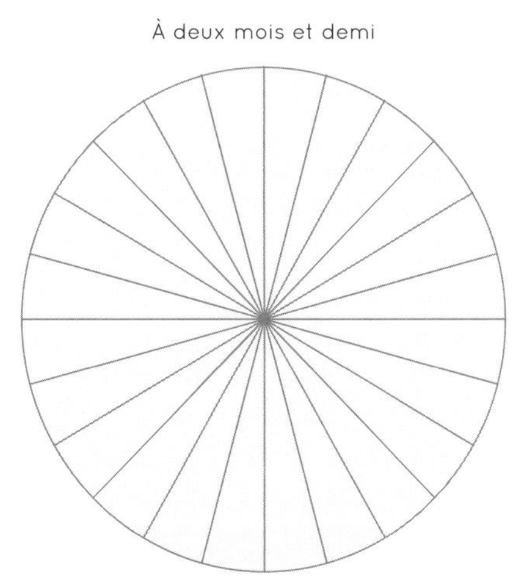

Deuxième étape : après la naissance

Dans la seconde colonne du tableau, indiquez le temps que vous souhaitez consacrer à chaque champ d'activités lorsque votre enfant aura environ deux mois et demi. Pour le moment, il s'agit d'exprimer vos désirs ; vous vous adapterez plus tard à la réalité ! Coloriez les champs d'activités et reportez les heures sous forme de couleurs sur le diagramme de droite.

Ne cherchez pas l'exactitude dans votre évaluation des temps, faites-le spontanément, sans trop réfléchir. Expliquez l'exercice à votre compagne. Donnez-lui un exemplaire du tableau et un exemplaire des diagrammes. Si elle se prête au jeu, vous disposez d'une bonne base pour organiser votre quotidien. Faites l'exercice séparément au départ, pour éviter de vous corriger ou de vous influencer. Prenez en compte les éléments importants pour votre équilibre et votre épanouissement personnels avant l'arrivée de votre enfant (par exemple le sport, les rendez-vous avec les copains…).

Troisième étape : trouvez un équilibre

Lorsque vous avez tous les deux terminé de remplir vos diagrammes, comparez-les en vous posant les questions suivantes :

- Est-ce que nos emplois du temps permettent d'assurer correctement les soins du bébé ?
- Comment envisageons-nous de répartir entre nous nos activités professionnelles et notre vie de famille ?
- Avons-nous prévu des moments pour notre vie de couple ?
- Avons-nous pensé à des temps de loisir et de repos pour chacun de nous ?
- Sommes-nous satisfaits de cette organisation ?
- Que pouvons-nous améliorer ? Des ajustements sont-ils possibles ?

Si vous avez le moindre doute, discutez-en pour essayer de trouver une solution satisfaisante. Utilisez pour cela le troisième exemplaire des diagrammes. Mettez-vous au travail, sans perdre de vue que les résultats que vous obtiendrez seront l'expression de vos désirs respectifs, mais que la réalité sera probablement différente. Ce qui ne vous empêche pas de réfléchir dès maintenant à la manière dont vous envisagez votre emploi du temps de parents. Lorsque la réalité se révélera différente de ce que vous aviez imaginé ou souhaité, vous pourrez vous reporter à vos diagrammes et envisager ensemble des ajustements pour remédier au problème.

La sexualité après la naissance

Chaque grossesse, chaque naissance apporte son lot de bouleversements dans la sexualité de l'homme et de la femme. Si votre compagne était plutôt réservée dans ce domaine avant la grossesse, il se peut que sa libido soit exacerbée après la naissance, et vice versa ! L'essentiel est de le savoir, de manière à pouvoir s'adapter ensemble à cette nouvelle situation.

Le corps a changé

Dès la grossesse, et surtout après l'accouchement, nombre de femmes se sentent mal dans leur corps en raison des modifications qu'il subit. Mais la grossesse et la naissance de leur enfant peuvent affecter également la sexualité des hommes.

Des suites de couches parfois difficiles

Après avoir mis leur bébé au monde, beaucoup de femmes souffrent pendant des semaines, voire des mois, des suites de déchirures ou d'incisions au niveau du vagin, du périnée et de l'anus. Certaines doivent se remettre d'une césarienne. Les cicatrices sont douloureuses et les tissus encore si sensibles que ces femmes ont peur de bouger.

Les lochies contribuent aussi à inhiber le désir chez certains couples. Abondant et teinté de sang pendant les premiers jours, l'écoulement s'éclaircit ensuite et devient moins abondant, avant de disparaître au bout de plusieurs semaines. Les lochies sont formées par le sang qui s'écoule de la plaie laissée dans l'utérus après l'expulsion du placenta, ainsi que par la muqueuse qui entourait l'œuf.

Tant qu'elles n'ont pas récupéré physiquement, les femmes n'ont souvent pas envie de faire l'amour. Elles ont davantage besoin de marques de tendresse et d'attention. Mais si vous désirez tous les deux reprendre vos rapports sexuels, ne craignez pas les infections dues aux lochies. Composées de sang et de mucosités, elles proviennent du corps et ne sont pas dangereuses.

Des problèmes physiologiques réels

Pour une femme, une reprise de la sexualité après la naissance peut être difficile du fait de problèmes physiologiques qui ne sont pas à négliger.

- Les cicatrices liées à une césarienne ou à une épisiotomie sont douloureuses. Dans certains cas, il peut être nécessaire de faire une intervention chirurgicale après une épisiotomie si la cicatrice reste gonflée (elle est alors gênante pour les rapports sexuels).
- Le vagin n'a pas retrouvé toute sa tonicité, mais une bonne rééducation du périnée y remédiera sans problème.
- Dans les semaines qui suivent l'accouchement, certaines femmes souffrent d'une absence de lubrification du vagin. Pensez alors à utiliser un gel lubrifiant pour vos rapports.

Attention aux infections

Néanmoins, suite à l'accouchement, votre compagne a encore des plaies ouvertes, notamment dans l'utérus, à l'endroit où s'était formé le placenta ; des poils ont pu être arrachés sur les lèvres de la vulve. Pour éviter que ces plaies ne s'infectent, prenez particulièrement soin de votre hygiène pendant les jours et semaines qui suivent l'accouchement si vous souhaitez faire l'amour. Utilisez éventuellement un préservatif pour protéger votre compagne des infections.

Il n'existe aucune contre-indication à la reprise des rapports sexuels peu de temps après l'accouchement, à condition d'être à l'écoute l'un de l'autre et de respecter sa/son partenaire. Vous éviterez ainsi les blessures tant physiques que psychiques.

Blessures psychiques et mauvaise conscience

Lorsque l'accouchement se déroule différemment de ce que les parents avaient imaginé, il peut laisser des cicatrices qui ne permettent pas toujours, ou difficilement, de se réapproprier son corps et sa sexualité. Des hommes qui ont participé activement à la naissance de leur enfant sont parfois étonnés, sinon choqués, par l'intensité des douleurs de l'accouchement. L'épreuve vécue par leur compagne engendre en eux un sentiment de culpabilité qui peut avoir des incidences sur leur propre libido.

Le baby blues

Nous avons vu que les jeunes mères étaient sujettes à des états dépressifs plus ou moins graves. Lorsqu'une femme souffre d'une telle affection après la naissance de son enfant, son manque d'intérêt pour la sexualité peut être difficile à supporter par son compagnon. Pourtant, ce n'est pas par la contrainte que vous résoudrez le problème. Privilégiez la patience, faites preuve de compréhension à l'égard de votre compagne. Si vous avez l'impression de ne plus pouvoir l'aider tout seul, invitez-la à consulter un thérapeute.

Prenez votre temps

Certaines femmes ont besoin de plus de temps que d'autres pour se sentir de nouveau bien dans leur corps, pour accepter ses éventuelles transformations et l'aimer tel qu'il est. Pendant les semaines et les mois qui suivent l'accouchement, il n'est pas rare qu'elles souffrent de surpoids (et de complexes !) et qu'elles se sentent réduites au rôle de mères nourricières. La personne qui a du mal à s'accepter telle qu'elle est craint souvent les critiques des autres, qu'elles soient exprimées ou non. C'est le cas de beaucoup de femmes qui redoutent alors les relations sexuelles, car elles s'imaginent qu'elles ne seront pas capables de séduire leur compagnon.

Pourtant, la grossesse et la période qui suit l'accouchement ne sont pas les seuls moments de la vie d'une femme où elle peut avoir du mal à s'accepter physiquement. Combien de fois, avant qu'elle soit enceinte, n'avez-vous pas entendu votre compagne se plaindre de ses kilos en trop, de ses oreilles décollées, de ses jambes légèrement arquées ou de sa trop petite taille ? Vous avez jusqu'à présent toujours réagi avec humour ou trouvé une réponse rassurante. Adoptez

La contraception

Si vous n'envisagez pas d'avoir un deuxième enfant très rapproché du premier, prenez vos précautions, car une ovulation peut se produire 3 semaines après l'accouchement. Vous pouvez tout à fait utiliser un préservatif, ou votre compagne appliquer une contraception locale. Pour la pose d'un stérilet, il est préférable d'attendre que l'utérus ait repris sa taille normale (environ 1 mois).

Il existe aussi des pilules microdosées qui peuvent être prises 10 jours après la naissance. Quant aux pilules classiques, si elles peuvent être prescrites à partir du 21e jour, elles sont incompatibles avec l'allaitement.

maintenant le même comportement. Réconfortez-la en lui disant qu'elle vous plaît telle qu'elle est. Votre corps ne change-t-il pas, lui aussi? Vous l'avez sans doute remarqué: la plupart des hommes prennent du poids pendant la grossesse de leur compagne, et c'est peut-être votre cas. Amusez-vous alors à inverser les rôles: plaignez-vous à votre compagne d'avoir un ventre trop gros ou une jambe plus courte que l'autre. Faites-vous réconforter à votre tour, ou mieux encore, acceptez-vous tous les deux tels que vous êtes.

La fatigue et les soucis inhibent le désir

À moins que vous ayez la chance d'avoir un bébé qui dort bien, vous et votre compagne serez très sollicités la nuit par votre enfant. La fatigue due au manque de sommeil s'accumulant au fil des semaines, il paraît difficile d'avoir une sexualité épanouie dans de telles conditions.

Il peut également arriver que le jour où vous avez tous les deux envie de faire l'amour, votre bébé se réveille et vous réclame. Vous aurez peut-être les nerfs à fleur de peau, mais sachez que, au fur et à mesure qu'il grandira, votre enfant aura de moins en moins besoin de vous.

Lorsque par surcroît la naissance coïncide avec des contraintes comme un déménagement ou un changement de travail, il y a de grandes chances pour que les répercussions se fassent sentir sur votre vie sexuelle. Ne vous étonnez donc pas si, devenus parents, vous n'êtes plus aussi disponibles dans ce domaine. Il n'y a rien de plus normal!

Trouvez des solutions ensemble

Si vous et votre compagne vous sentez insatisfaits dans votre corps et dans votre sexualité, réfléchissez ensemble aux solutions possibles pour remédier à ces frustrations. Dans cette démarche, il importe que chacun soit attentif à l'autre. Évitez d'imposer vos désirs, mais ne vous sentez pas obligé de satisfaire ceux de l'autre, et privilégiez la franchise dans le dialogue.

Inscrivez votre vie sexuelle sur la liste de vos priorités, en lui accordant la place qui lui est due et en prenant le temps de la redécouvrir.

Explorez de nouvelles voies

Saisissez la naissance de votre enfant comme une chance de réinventer votre sexualité. Imaginez que vous faites partie d'une équipe de chercheurs qui entreprennent une expédition dans un pays où ils ne se sont pas rendus depuis longtemps.

Arrivés en territoire inconnu, les chercheurs doivent prendre certaines dispositions en commun avant de se lancer dans l'aventure. De même, pour affronter le défi qui est le vôtre, vous devez établir des règles en accord avec votre compagne. Ces règles permettent de partir d'un bon pied et elles sont essentielles à la réussite de l'expédition.

S'aimer autrement

- La vie amoureuse ne se réduit pas aux rapports sexuels. Les massages, par exemple, peuvent être une autre forme d'échange amoureux.
- Même si c'est agréable de savoir que l'on est désirable, on ne doit pas me sentir obligé de répondre aux sollicitations de l'autre.
- Chacun a le droit de ne pas avoir envie de faire l'amour.
- Inutile de culpabiliser parce que l'on a des envies... ou parce que l'on n'en a pas. À vous de voir en couple ce que vous pouvez faire.

Parlez avec d'autres pères

Si vous vous sentez frustré dans votre sexualité après la naissance de votre enfant, échangez avec d'autres hommes à ce sujet. Vous serez surpris de constater que vous n'êtes pas le seul dans ce cas, et peut-être ce dialogue vous aidera-t-il à trouver des solutions à votre problème.

Ne précipitez pas les choses

Les échanges amoureux doivent être un plaisir, pas une contrainte! Les conseils qui suivent vous aideront à vous rapprocher progressivement l'un de l'autre.

- Réfléchissez à la manière dont vous avez vécu la grossesse et l'accouchement, aux événements qui ont pu avoir un impact sur votre sexualité.
- Jouez la carte de la franchise l'un avec l'autre.
- Soyez attentif et réceptif aux changements qui surviennent dans votre vie; faites preuve de tact et de délicatesse pour vous rapprocher physiquement de votre compagne.
- Réservez des soirées à des tête-à-tête amoureux, sans vous sentir obligé d'avoir des rapports sexuels.
- Abordez ces soirées sans attentes particulières. Contentez-vous de savourer ces moments intimes.
- Si votre compagne ou vous-même n'êtes pas satisfaits de son corps, réconfortez-vous à l'idée que ses bourrelets ont accueilli chaudement votre enfant pendant neuf mois.
- Échangez des compliments, et même si vous ressentez des frustrations dans votre vie sexuelle, dites-vous que votre relation de couple ne repose pas uniquement dessus.
- Méfiez-vous des aventures que vous pourriez avoir à l'extérieur de votre couple. Comment votre compagne réagira-t-elle? Allez-vous garder des secrets qui risquent de peser sur votre relation?

- Si vous ne parvenez pas à vous détendre chez vous, faites appel à une baby-sitter et allez à l'hôtel.
- Abordez ouvertement le sujet de la masturbation avec votre compagne. Comment réagit-elle lorsque vous vous masturbez ? Peut-être pouvez-vous intégrer la masturbation dans vos jeux érotiques ?
- Vous pouvez éventuellement inciter votre compagne à découvrir elle-même sa propre sexualité et son rapport au plaisir.

Entre famille, travail et loisirs

Les nouveaux pères souhaitent pouvoir consacrer davantage de temps à leurs enfants que les soirées et les week-ends. Mais comme ce sont eux, le plus souvent, qui contribuent majoritairement aux revenus de la famille, ils se sentent tiraillés entre leurs obligations professionnelles et leur vie de famille. Pourtant, il n'est pas impossible de trouver un peu de place pour ses loisirs, sans sacrifier ni son travail ni sa nouvelle vie de famille.

Conciliez vie familiale et travail

Aujourd'hui, beaucoup de pères envisagent principalement leur rôle comme une démarche éducative et d'accompagnement ; ils ne le réduisent plus à celui de soutien de famille. Néanmoins, comme jadis, ce sont eux qui, dans la plupart des cas, contribuent le plus aux revenus de la famille. Et lorsqu'ils rentrent le soir à la maison, c'est bien souvent pour lire une histoire à leur enfant avant de lui souhaiter bonne nuit, ou pour le trouver déjà endormi.

Nombre d'entre eux se sentent tiraillés entre leur désir de s'impliquer activement dans la vie de leurs enfants et la nécessité d'assurer les besoins matériels de leur famille en exerçant une activité dans laquelle ils puissent si possible se réaliser. Ils endossent le rôle de soutien de famille parce qu'ils gagnent généralement davantage que leur femme ; les inégalités de salaires entre hommes et femmes n'ont pas encore été résolues de manière satisfaisante.

D'autres raisons expliquent la fidélité des pères à ce schéma traditionnel. Ils désirent poursuivre leur carrière en saisissant les chances qui peuvent s'offrir à eux. Ils sont également victimes des pressions sociales, tant dans leur milieu professionnel que dans leur vie privée, lorsqu'ils envisagent de prendre un congé parental d'éducation à temps plein ou à temps partiel.

Lorsqu'un couple décide que l'un des deux parents s'arrêtera de travailler pendant quelque temps pour s'occuper de l'enfant, c'est généralement la mère qui interrompt son activité professionnelle et le père qui continue à subvenir aux besoins matériels. Ce choix est rarement dicté par une conception conservatrice de la famille. Elle répond davantage à une approche pragmatique de la réalité. Mais ce n'est pas toujours la meilleure solution, autant pour le père que pour la mère.

Le piège des schémas traditionnels

Si vous assumez trop longtemps le rôle traditionnel de soutien de famille sans le souhaiter véritablement, vous risquez d'être pris au piège. Les besoins matériels de la famille doivent bien évidemment être assurés. Mais si vous n'avez pas une minute à consacrer à votre enfant dans la journée, il y a de grandes chances pour que vous ressentiez de la frustration à la longue.

Parallèlement, votre compagne sera menacée par un autre piège, celui de passer son temps à s'occuper de son enfant et de sa maison. La plupart des femmes aujourd'hui ont fait des études, et jusqu'à la naissance de votre enfant, votre compagne a probablement exercé une activité professionnelle. En adoptant le schéma traditionnel (l'homme au travail, la femme à la maison), vous et votre compagne risquez d'en souffrir à long terme. À l'inverse, un partage équitable des obligations professionnelles entre les parents est bénéfique pour chacun des membres de la famille (père, mère et enfant).

Par ailleurs, les expériences (malheureuses) de pères divorcés montrent qu'il est souhaitable d'équilibrer activité professionnelle et vie de famille. En effet, après une séparation, les enfants vivent le plus souvent chez celui des deux parents qui s'est le plus occupé de lui, c'est-à-dire la mère selon les schémas traditionnels. Après un divorce, la relation père-enfant est parfois gravement compromise.

Un projet qui se prépare à deux

En décidant de mettre des enfants au monde, vous fondez un projet fort pour votre couple. Il est donc important que vous envisagiez ensemble les changements qu'un tel choix implique. Au niveau professionnel, l'un de vous devra peut-être suspendre son activité ou la limiter.

Il est également important de bien appréhender vos besoins matériels et vos ressources. Si vous souhaitez tous deux privilégier votre vie de famille, vous trouverez des solutions pour que l'équilibre que vous envisagez soit réalisable. Nous vous proposons ici quelques pistes de réflexion.

- Vous pouvez prendre un congé parental à tour de rôle ou travailler tous les deux à mi-temps. La réglementation du congé parental d'éducation accorde les mêmes droits aux mères et aux pères et autorise une certaine souplesse.
- Ne faites pas de plans à long terme. Les enfants grandissent vite et votre situation professionnelle peut changer. Si vous vous retrouvez au chômage, vous apprécierez que votre compagne subvienne aux besoins de la famille.
- Réfléchissez bien à l'opportunité d'une promotion pendant la première année de votre enfant. Tenez compte des plaisirs et des récompenses que peut vous apporter le métier de père.

Un partage équitable

Si votre compagne et vous faites le choix de partager équitablement travail et vie de famille, réglez au préalable les questions suivantes:

- Qui s'occupe de l'enfant/des enfants, et à quels moments?
- Quelles tâches ménagères chacun prend-il en charge?
- Quelles sommes d'argent allez-vous prévoir pour le budget familial et pour les projets à long terme? Qui prendra en charge telle ou telle partie du budget?
- Comment envisager le partage du temps de travail? Du congé parental?

- Si vous souhaitez négocier un changement dans votre situation professionnelle, parlez-en dès que possible avec votre supérieur, en préparant soigneusement l'entretien. Définissez vos objectifs et faites des propositions concrètes à votre chef.

- Étalez vos dépenses dans le temps pour éviter de trop surcharger votre budget, mais aussi de vous encombrer de soucis inutiles. Certains projets peuvent attendre, comme la maison ou la nouvelle voiture. En revanche, votre enfant grandit vite, et si vous voulez en profiter, mieux vaut ne pas trop attendre.

Le congé parental d'éducation

Le congé parental d'éducation permet aux pères et aux mères de cesser leur activité professionnelle pendant un temps donné pour s'occuper de leur enfant. L'activité peut être interrompue totalement ou partiellement.

Le congé parental, d'un an maximum renouvelable deux fois, peut être accordé jusqu'au troisième anniversaire de l'enfant. Il n'y a pas de durée minimale (il peut être de trois ou six mois) et peut être pris à n'importe quel moment pendant les trois ans qui suivent la naissance de l'enfant. Pour les salariés de la fonction publique, le congé est de six mois renouvelables.

Le congé parental est de droit, quel que soit l'effectif de l'entreprise, la seule condition étant que le/la salarié(e) ait une ancienneté d'un an minimum à la date de la naissance de l'enfant. Il n'est pas rémunéré.

Le modèle suédois

La Suède est le pays de l'enfant roi. Les Suédois bénéficient d'un congé parental rémunéré de 450 jours (au plus) par naissance, dont 60 jours réservés au père. Le montant de l'indemnité est de 80 % du salaire plafonné. Tous les parents prennent ce congé, les crèches n'accueillant pas les enfants avant un an.

À l'issue du congé parental, le salarié doit retrouver son emploi ou un emploi similaire avec une rémunération au moins équivalente.

Les formalités

Vous devez faire la demande de congé à votre employeur :

- par lettre recommandée avec accusé de réception, en indiquant la date du début du congé et sa durée ;
- un mois au moins avant la fin du congé de maternité ou deux mois avant la date où vous souhaitez vous arrêter si vous avez repris le travail.

Si vous souhaitez prolonger votre congé, vous devez aviser votre employeur par lettre recommandée avec accusé de réception un mois avant la fin du premier congé.

Des arguments pour convaincre

Votre employeur et vos collègues s'étonneront peut-être de votre choix et il vous faudra alors travailler à les convaincre. Heureusement, les arguments ne manquent pas...

- Les pères qui parviennent à concilier travail et famille sont plus motivés. Ils se rendent plus volontiers sur leur lieu de travail, apprécient mieux leur entreprise et sont donc plus efficaces.

- Les pères libérés de soucis sont plus concentrés et plus productifs. Des conditions de travail adaptées, comme les horaires flexibles, y contribuent.

- À travers leur relation avec leurs enfants, les pères acquièrent des compétences qui leur sont bénéfiques dans leur travail : ils apprennent à différencier ce qui est important de ce qui ne l'est pas, à établir des priorités, à prendre des décisions. Par exemple, si votre enfant crie, vous devez trouver rapidement la cause de ses cris : a-t-il mal quelque part, a-t-il faim, est-il fatigué ? Vous devez procéder à une analyse rapide de la situation, éventuellement au moyen d'un questionnaire, et réagir aussitôt en trouvant un moyen de le calmer.

- Les pères qui s'investissent dans la vie de leur famille parviennent plus facilement à diversifier leur capacité de concentration. Celui qui passe beaucoup de temps avec un enfant en bas âge doit souvent faire plusieurs choses en même temps.

- Au sein de leur famille, les pères développent leur intelligence émotionnelle. La relation avec un enfant exige beaucoup d'empathie et permet de mieux s'identifier aux autres.

Pour résumer, des conditions de travail plus souples et des employeurs à l'écoute des revendications des pères peuvent être bénéfiques autant pour les travailleurs que pour les entreprises.

Trouvez du temps pour votre enfant

Si vous n'avez pas opté pour un congé parental d'éducation ou que celui-ci est terminé, rien ne vous empêche pourtant de dégager du temps pour être avec votre enfant. En gardant bien à l'esprit que ce n'est pas seulement le nombre d'heures qui compte, mais surtout votre disponibilité d'esprit et de cœur...

Dégagez des plages horaires

Pour gérer son temps de manière satisfaisante, il faut apprendre à distinguer ce qui est important de ce qui l'est moins. Votre enfant mérite largement de figurer en haut de votre liste de priorités. Pour savoir quand vous allez pouvoir lui accorder du temps, consultez votre agenda. Vous connaissez vos horaires de travail, peut-être avez-vous des rendez-vous réguliers certains soirs, des journées plus ou moins chargées.

Un mieux pour les entreprises !

Selon plusieurs enquêtes menées dans les entreprises, les mesures prises en faveur de la famille représentent des gains à long terme pour les employeurs. Sur la base de ces conclusions, les conseillers en gestion du personnel s'efforcent d'inciter les employeurs à répondre favorablement aux revendications des pères.

À vous de voir quand vous pouvez vous libérer.

Si, deux fois par semaine, vous pouvez quitter le bureau plus tôt que d'habitude, c'est merveilleux. Indiquez-le sur votre agenda pour les semaines à venir en écrivant le nom de votre enfant. Et si ce n'est possible qu'une fois par semaine, c'est déjà bien !

Prévoyez des sorties régulières avec votre enfant. Vous pouvez par exemple participer à une séance de bébés-nageurs le samedi matin ou retrouver au square les copains de la crèche l'après-midi. Ces moments avec bébé renforceront votre complicité, et vous prendrez l'habitude de vous occuper de votre enfant.

Parlez de vos enfants avec vos collègues, par exemple pendant la pause déjeuner. Racontez-leur les sorties que vous faites ensemble en disant que vous souhaiteriez pouvoir leur consacrer davantage de temps. Vous constaterez peut-être avec surprise qu'ils vous écoutent avec intérêt. Ce sera votre première contribution à une culture du travail favorable aux pères.

Faites le tri!

Éliminez de votre emploi du temps tout ce qui vous paraît inutile ou superflu. N'hésitez pas à vous débarrasser poliment et gentiment des relations qui vous encombrent. Vous avez un bon prétexte : vous voulez consacrer davantage de temps à votre famille, profiter de votre enfant. N'importe qui est capable de comprendre une revendication aussi légitime.

Si vous êtes trésorier de l'association sportive de votre quartier, par exemple,

Pensez aussi à vous

Partageant leurs journées entre le travail, la vie de famille et les tâches domestiques, les jeunes parents ont un emploi du temps très chargé. Il est pourtant important de garder du temps pour soi.

- Si vous aimez le sport, réservez une ou deux plages horaires dans la semaine à la pratique de votre activité favorite (jogging, vélo, volley, football...).
- Les soins d'un bébé sollicitent beaucoup le dos. Faites régulièrement un peu d'exercice pour soulager la douleur.
- Votre compagne doit pouvoir bénéficier du même temps pour ses activités sportives ou ses hobbies. Ces tranches horaires vous offriront une nouvelle occasion de vous occuper de votre enfant ou, le soir, lorsqu'il dort, la possibilité de vaquer à quelques tâches ménagères.
- Vous pouvez aussi vous détendre avec votre compagne. De temps à autre, le temps d'une soirée, confiez votre bébé à une baby-sitter.
- Ne renoncez pas à votre vie sociale. Organisez de temps en temps une soirée avec des amis dont vous vous sentez proche.

remettez votre démission en bonne et due forme. Et si, dans votre garage, la vieille Traction attend d'être réparée pour pouvoir rouler, recouvrez-la d'une bâche et remettez votre projet à plus tard, ça vous soulagera en vous empêchant d'y penser !

Respectez vos engagements

Les jeunes enfants ont besoin de repères. Votre bébé a une perception intuitive du temps, même s'il ne sait pas lire l'heure. Vous lui avez promis de rentrer à la maison aussitôt après votre travail, il vous attendra avec impatience. Si vous êtes sur le point de partir et qu'un collègue vous demande un service, faites appel à sa compréhension et dites-lui que vous avez promis à votre enfant de rentrer tôt.

Toutefois, évaluez l'importance de la situation et faites preuve de souplesse : l'entretien avec votre chef sur votre augmentation de salaire peut justifier un appel rapide à la maison pour prévenir que vous aurez un peu de retard.

Accordez-vous du temps

Si les parents d'enfants en bas âge ont un emploi du temps bien chargé, ils parviennent souvent à mener de front toutes ces occupations, mais grignotent généralement sur leurs heures de sommeil et sur leur temps de loisir. Cela ne dure pas tout la vie mais soyez vigilants, vous et votre compagne, à trouver un équilibre.

TABLE DES MATIÈRES

Les premiers mois

Une nouvelle vie

L'arrivée à la maison

Les premiers soins

Si votre compagne allaite

Il pleure et ne fait pas ses nuits

La dépression du post-partum

Les douze premiers mois

Un papa presque parfait

Jouez avec votre bébé

Vivre autrement

Préservez votre vie de couple

Le partage des tâches

La sexualité après la naissance

Entre famille, travail et loisirs

Imprimé par Unigraf en Espagne
Pour le compte des éditions Hachette Livre (Marabout)
43, quai de Grenelle – 75905 Paris Cedex 15
Achevé d'imprimer en mars 2014
ISBN : 978-2-501-08964-7
4135380
Dépôt légal : avril 2014